Para Debra Dorfman,
por tus positivos consejos, por tu apoyo, por tu iniciativa...
y, ah, por decir sí.
Y, siempre, siempre, para mi Stacey.

H. W.

Para Cole Baker,
mi compañero de cocina favorito
y queridísimo tercer hijo, con amor.

L. O.

Título original: *Holy Enchilada!*
Copyright del texto, © 2004 Henry Winkler and Lin Oliver Productions Inc.
Publicado por acuerdo con Grosset & Dunlap, una división de Penguin Young
Readers Group, miembro del Penguin Group (USA) Inc.
Todos los derechos reservados.

© Grupo Editorial Bruño, S. L., 2011
Juan Ignacio Luca de Tena, 15
28027 Madrid
www.brunolibros.es

Dirección editorial: Trini Marull
Traducción: Daniel Cortés Coronas
Edición: María José Guitián
Preimpresión: MonoComp, S. A.
Diseño de cubierta y guardas: Miguel A. Parreño (MAPO DISEÑO)
Ilustraciones: Santy Gutiérrez

ISBN: 978-84-216-84-8576-1
D. legal: M-30764-2011
Impresión: Huertas Industrias Gráficas, S. A.

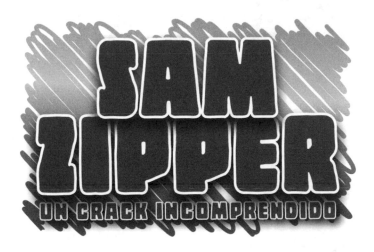

La enchilada asesina

Henry Winkler  Lin Oliver

 Bruño

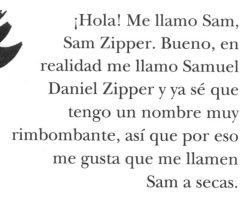

¡Hola! Me llamo Sam, Sam Zipper. Bueno, en realidad me llamo Samuel Daniel Zipper y ya sé que tengo un nombre muy rimbombante, así que por eso me gusta que me llamen Sam a secas.

Vivo en Nueva York con mis padres y mi hermana, que es sencillamente repelente y tiene una iguana asquerosa. Cuando os cuente dónde pone la lengua (la iguana, no mi hermana), alucinaréis… Yo, sin embargo, tengo un perro salchicha que se llama *Rosco* y mola un montón (salvo cuando se pone a dar vueltas, claro; entonces, si le miro mucho rato, hasta me mareo).

Además tengo un abuelo estupendo y dos amigos geniales, Frankie y Ashley.

Y, por desgracia, también tengo una profesora que se empeña en hacerme la vida imposible y mandarme al despacho del director cada dos por tres. ¿Y qué he hecho yo para merecer eso? Pues nada, porque yo me esfuerzo en clase, lo intento con toda mi alma, pero debo de tener el cerebro medio *endredado*, porque confundo las letras y los números... ¿Veis?, ya me ha pasado otra vez: he escrito *endredado*, y no enredado... Menos mal que la señora Adolf jamás leerá esto; si no, ya estaría castigado.

En fin, creo que para animarme un poco tendré que ir a por un sándwich gigante o a por unas cuantas galletas mitad chocolate mitad vainilla al Pepinillo Crujiente. ¿Me acompañáis?

CAPÍTULO 1

—Domo a mi gato —dijo la señora Adolf, mirándome fijamente como si yo tuviera alguna idea de lo que me estaba diciendo.

Mi profesora se quedó plantada delante de mi pupitre, dando impacientes golpecitos con los pies. Tras las gafas grises se veían sus ojos entornados. Era evidente que quería que le dijera algo, pero se me había quedado la mente en blanco.

—¿Cuándo se dice eso, Samuel? —me preguntó.

«¿Cuándo se dice "domo a mi gato"? ¿Cuando enseñas a tu gato dónde tiene que hacer sus necesidades? ¿Cuando quieres montar un número de circo con él?», pensé.

No tenía el día para acertijos, la verdad, pues la cabeza me daba vueltas después del examen de mates. Acabábamos de terminar el examen de fracciones, y os aseguro que era el más desconcertante que había hecho en mi vida. Para empezar, las mates me parecen lo menos divertido del mundo. Y los exámenes, sean del tema que sean, no encabezan ni en sueños mi lista de «Diez cosas que me encanta hacer un lunes por la mañana». Supongo que si fuera como Heather, la empollona de la clase, tendría otra opinión de los exámenes. Pero cuando la mayor nota que has sacado en un examen de mates es un insuficiente alto... En fin, eso acaba con lo bueno que pudiera tener el asunto.

En cuanto a las fracciones, ¿quién las inventó, si puede saberse? Seguro que fue el mismo que se sacó de la manga las comas decimales. Las comas decimales no hay quien se las coma.

«Las comas decimales no hay quien se las coma. Vaya, he hecho un chiste. ¡Siempre sacándole punta a todo, Sammy!», me dije, y durante un momento se me debió de ir la olla riéndome de mi propio chiste, porque de pronto oí a la señora Adolf hablándome.

—¡Samuel! —bramó—. ¿No me has oído? He dicho «domo a mi gato». ¿Sabes cuándo decimos eso?

Me puse a pensar. Para empezar, debes tener un gato. Yo no tengo gato. Yo tengo un perro salchicha precioso y mi hermana tiene una iguana asquerosa, pero no hay gatos en casa. ¿Tendrá gato la señora Adolf? Sé que no se lleva bien con los perros, y ella misma tiene algo de gato cuando te mira fijamente tras sus gafas grises... ¿Y si es un gato disfrazado de persona? ¡Qué miedo! De pronto me la imaginé con cabeza de gato, esperando una respuesta sin quitarme los ojos de encima. De hecho, me estaba taladrando dos agujeritos en la cabeza con la fuerza de su mirada. No iba a olvidarse del dichoso gato hasta que respondiera...

—Es que yo no domo a mi gato porque no tengo —dije al fin—. Pero si tuviera un gato, le enseñaría a saltar por un aro y a abrir mucho la boca, como los leones. Y a hacer sus necesidades en el cajón, por supuesto —añadí.

Toda la clase se echó a reír a carcajadas.

—¡Esta sí que es buena, Zipitajo! —rio Nick McKelty, más conocido como McChinche, desde la fila de atrás, arrojándome una bocanada de su aliento fétido—. Eres más tonto que...

Por lo visto, no supo cómo acabar la frase, porque de pronto paró de reír y se puso a mirar a su alrededor, presa del pánico. Sus ojos se posaron en un tablón de anuncios en el que había un póster de una ballena gris. Casi pude ver su lento y pesado cerebro aferrándose a ese póster.

—Eres más tonto que una ballena —dijo entonces, muy satisfecho de haber podido terminar la frase.

—Eso demuestra lo poco que sabes, McKelty —le espetó Frankie, mi mejor amigo—. Las ballenas son seres muy inteligentes.

—Al contrario que tú, Nick —terció Ashley, mi mejor amiga.

Ashley y Frankie viven en el mismo edificio que yo, y los tres estamos siempre juntos. Somos amigos íntimos desde preescolar. Os aseguro que nadie dirá nada malo de ninguno de nosotros sin que los otros dos se le echen encima.

La señora Adolf dio tres palmadas, que es lo que hace siempre que nos ponemos a hablar sin haber levantado la mano. Si sigues hablando después de eso, te envía al despacho del director, el señor Love, para que te dé una de sus soporíferas charlas sobre el autocontrol. Nadie quería visitar al señor Love, así que nos callamos al instante.

—No he dicho «domo a mi gato», Samuel —dijo la señora Adolf, volviéndose hacia mí—. He dicho *domo arigato*. Eso significa «muchas gracias» en japonés.

¿Y por qué no lo decía desde el principio? ¿Cómo iba a saber yo que estaba soltando palabras en japonés? ¿Es que tengo pinta de vivir en Tokio o algo así?

—¿Alguien sabe qué se dice después de *domo arigato*? —preguntó.

—¿Por qué no se lo pregunta a Ashley? —bramó Nick McChinche—. Seguro que ella sabe japonés.

Mi amiga se subió las gafas y empezó a retorcerse la coleta, que es lo que hace cuando se enfada.

—Para que te enteres, no soy japonesa —repuso—. Mis padres son de China. Y, por si no lo sabías, Nick, Japón y China son dos países completamente diferentes.

—Tampoco es para ponerse así —masculló él.

Yo creía que Ashley se lanzaría sobre Nick y le estamparía el puño en el brazo, pero la señora Adolf volvió a dar tres palmadas.

—Niños —empezó—, esto ha sido una presentación del tema que vamos a ver ahora. Esta semana vamos a celebrar el Día de las Culturas. Todo el colegio va a aprender cosas sobre la gente que vive en otros países, y nuestra clase preparará platos de todo el mundo para el banquete especial.

Katie levantó una mano y la agitó como si tuviera que ir al baño urgentemente.

—¿Sí, Katie? —dijo la señora Adolf.

—He oído que los franceses comen caracoles.

—¡Qué asco! —exclamó Kim.

—Yo una vez me comí un caracol —apuntó Luke, que se ha ganado el mote de Mocoverde por razones evidentes—. Me gustó la parte babosa, pero las antenas las escupí.

—¡Puaaaaaj! —gritaron al unísono Katie y Kim—. ¡Tendrían que prohibir que hubiera gente como Luke!

Hay que reconocerle una cosa al Mocoverde, y es que es el único chaval que conozco capaz de decirles a las dos chicas más guapas de clase que ha escupido antenas de caracol.

La señora Adolf hizo oídos sordos al comentario de Luke, como siempre.

—Además, por el mismo motivo, el Día de las Culturas, tenemos otra sorpresa —siguió diciendo. Me pareció ver que sonreía un poquito, mostrando parte de su dentadura. Es lo único de la señora Adolf que no es de color gris, aunque no le falta mucho para volverse amarilla—. Nuestra clase acogerá a un alumno de Japón. Se llama Yoshi Morimoto.

¡Un alumno japonés! Eso parecía interesante. Más interesante, al menos, que las demás cosas de las que suele hablar la señora Adolf, como las normas de ortografía, las fracciones y demás.

—El padre de Yoshi, el señor Morimoto, es el director de nuestra escuela hermanada de Tokio —explicó mi profesora.

Nunca había oído hablar de escuelas hermanadas, pero esperaba que no tuviera que ver con mi hermana Emily, que duerme con los ojos abiertos y se pasa el hilo dental en la mesa después de cenar. Me pregunté si ocurrirían cosas así de espeluznantes en nuestra escuela hermanada de Tokio.

—El señor Morimoto está visitando distintas escuelas de Estados Unidos —prosiguió la señora Adolf—. Viaja con su hijo, y van a pasar dos días con nosotros.

—¿Le puedo enseñar mi tarántula? —preguntó Luke.

—¡De ningún modo y bajo ningún concepto! —exclamó la señora Adolf.

Vi a Frankie aguantándose la risa. Sabía que se estaba acordando de lo mismo que yo. Una vez,

Luke se trajo a clase a *Melisa,* su tarántula, por el Día de las Mascotas. Pero el animalillo se escapó de su caja y trepó por la pierna de la señora Adolf, que dio un grito tan fuerte que se le vieron hasta las amígdalas temblando en el fondo de la garganta.

—Para que esta visita sea muy especial, el señor Morimoto ha accedido a que su hijo Yoshi se quede a dormir en casa de uno de nuestros alumnos —continuó la señora Adolf—. Quiere que vea cómo es la vida en Nueva York, así que elegiremos a una de vuestras familias como anfitriona de Yoshi.

«Ojalá elijan a mi familia. Sería una pasada», pensé. Me encanta tener invitados de otros países en casa. Bueno, a decir verdad solo hemos tenido a uno. Vladi, que hace sándwiches en la tienda de mi madre, estuvo una semana con nosotros cuando acababa de llegar a Nueva York desde Rusia y buscaba piso. Nos lo pasamos muy bien. Siempre se quedaba levantado hasta muy tarde, cantándonos una canción rusa muy loca llamada *Kalinka, malinka* y contándonos anécdotas de un oso de circo llamado *Igor* que siempre le seguía hasta la escuela.

La única vez que lo pasé mal fue cuando Vladi nos trajo una lata de caviar para que nos lo comiéramos. No sé si lo sabéis, pero el caviar está hecho de huevas de pescado, y por lo general son de un color negro azulado. Se supone que es una exquisitez, pero ¿cómo puede serlo algo que huele tanto a..., en fin, a huevas de pescado? Cuando me pareció que Vladi no miraba, acerqué mi ración a *Rosco*. Y cuando a *Rosco* le pareció que yo no miraba, la empujó con el morro por la ventana y la tiró a la calle. El caviar cayó sobre el aparato de aire acondicionado de nuestra vecina, la señora Park, y allí se quedó tres días hasta que llegó una paloma y se lo zampó. Hasta nunca, huevas de pescado.

—Que levanten la mano los que se ofrezcan voluntarios para alojar a Yoshi —dijo entonces la señora Adolf, y mi mano salió disparada como un cohete.

¡Y también treinta y dos manos más! De hecho, la única persona que no levantó la mano enseguida fue el Mocoverde, y porque tenía el dedo demasiado metido en la nariz como para levantarlo a tiempo.

Aunque todos los demás alumnos se ofrecieron voluntarios, yo seguía pensando que la señora Adolf debía elegirme a mí. Al fin y al cabo, si a Yoshi y a mí se nos acababan los temas de conversación, siempre podíamos darnos las gracias el uno al otro. Eso ya sabía decirlo, era pan comido.

Domo a mi gato.

CAPÍTULO 2

Entre todos acordamos que la única manera justa de decidir quién se iba a quedar con Yoshi era echarlo a suertes. Después del recreo, la señora Adolf nos dijo que escribiéramos nuestro nombre en un papelito y lo metiéramos en un sombrero. Yo propuse que utilizáramos mi gorra de béisbol, pero algunas de las chicas protestaron asegurando que la había dejado sudada después de jugar en el recreo. Así que, en lugar de la mía, utilizamos la gorra de color lavanda de Ashley, que ella misma había decorado con una flor de estrás, rojo para los pétalos y verde para el tallo.

La señora Adolf cerró los ojos, metió la mano y sacó uno de los papelitos. Y esto es lo que decía: «SAM ZIPPER».

¿Os lo podéis creer? Por si no lo habíais captado, ¡ese soy yo!

CAPÍTULO 3

Me hacía mucha ilusión haber sido elegido para acoger a Yoshi, aunque todavía me faltaba el permiso de mis padres antes de que fuera del todo oficial. Estaba bastante seguro de que me lo darían si les decía que era una actividad educativa. A ellos les va mucho eso de las actividades educativas.

—¿Dónde va a dormir Yoshi? —me preguntó Ashley cuando nos sentamos en nuestra mesa de siempre a la hora de comer.

—¡Yo me pido la litera de arriba! —dijo Frankie, dando por sentado que se quedaría a dormir en mi casa mientras estuviera Yoshi—. Y que nuestro amigo Yoshi duerma en el suelo. Los japoneses duermen siempre en el suelo, ¿lo sabíais?

—No me parece buena idea —le contesté—. *Catalina* podría acercarse a él de noche y lamerle con esa lengua de papel de lija que tiene.

Catalina es la iguana de mi hermana, y os aseguro que no hay nada peor que sentir que te toca cualquier parte del cuerpo con su lengua larga y pegajosa.

Abrí mi bolsita del almuerzo y solté un suspiro de decepción. Mi madre me había preparado otro de sus sándwiches experimentales. Mi madre tiene una tienda de comestibles con cafetería llamada el Pepinillo Crujiente, y está intentando crear una nueva rosca rica en fibra y baja en calorías para venderla allí. Como siempre me utiliza de conejillo de indias, me había preparado una de esas roscas con brócoli y champiñones. Sin queso de untar, por supuesto, no le fuese a dar buen sabor. En lugar de eso, había untado esa rosca de color marrón verdoso con garbanzos triturados con perejil y leche de soja. Para que os hagáis una idea, aquello parecía cemento.

—Te cambio la mitad de lo tuyo por la mitad de lo mío —le propuse a Frankie.

Lo suyo era un sándwich de pan de molde blanco con jamón y queso por el que ya estaba salivando a mares. Frankie acercó un dedo y tanteó mi almuerzo. La rosca no se movió.

—Creo que lo tuyo está muerto. O agonizando —afirmó, y entonces me dio la mitad de su sándwich.

Después de tantos años siendo mi mejor amigo, ya se ha hecho a la idea de que tiene que darme la mitad de su almuerzo los días que mi madre experimenta con su cocina creativa.

—Espero que tu madre no intente darle una de esas roscas a Yoshi —dijo Ashley—, o se irá corriendo y no parará hasta llegar a Japón.

—En realidad, eso no es posible —dijo una voz nasal detrás de nosotros—. Japón es un país insular, consistente en cuatro islas principales y más de tres mil islotes, todos ellos rodeados de agua. No es posible correr hasta Japón. Más bien tendría que nadar.

Era Robert el Bonsái, rey del País de los Sabelotodos. Vive en el mismo edificio que Frankie, Ashley y yo. Su objetivo en la vida es convertirse en nuestro mejor amigo y en el novio de mi hermana, y nuestro objetivo en la vida es mantenernos lo más lejos posible de él.

—¿Os molesta que me siente con vosotros? —nos preguntó, y colocó su bandeja al lado de la de Ashley antes de que pudiéramos decirle que sí, que nos molestaba un montón.

—Hola, Robert, amigo mío —dijo Frankie, acercando mi rosca a las huesudas manos del Bonsái—. ¿Te apetece probar esta deliciosa rosca rica en fibra? Mantendrá tus mandíbulas entretenidas y no podrás hablar mientras tanto.

El Bonsái no pilló la indirecta, cosa típica de él. Una vez estábamos dando clases de natación cuando un chaval miró a Robert, que llevaba su escuálido cuerpecito tapado solo por un pequeño bañador, y le dijo que parecía una rata mojada. Él fue y le soltó una larga explicación sobre las ratas y su esqueleto, que al parecer puede comprimirse hasta hacerse más fino que una base de pizza, lo que explica que puedan colarse por debajo de las neveras para pillar restos de embutido.

—Pues mira, la fibra es excelente para el sistema digestivo —comentó Robert, cogiendo la rosca y olfateándola sin complejos. Es la típica persona que siempre huele las cosas antes de comérselas—. La fibra hace que los desechos se desplacen por los intestinos de forma saludable y regular.

—¡Robert! —protestó Ashley—. ¿No te ha dicho nadie que la gente normal no habla de sus intestinos mientras come?

—No sé qué tiene de malo. Los intestinos canalizan los desechos digestivos. Y los desechos digestivos son un producto completamente normal del cuerpo.

—Sí, igual que los mocos y la caspa, pero no nos pasamos el día hablando de eso, colega —dijo Frankie.

El Bonsái se ajustó la corbata y dio un buen mordisco a su empanada de pescado. Sí, lo habéis leído bien. He dicho corbata. Robert es el único niño que conozco que se pone corbata para ir a clase. También es el único niño que conozco capaz de comerse las empanadas de pescado del comedor del colegio.

En ese momento me di cuenta de que Ashley ya no estaba escuchando la conversación, sino que miraba fijamente a alguien que estaba en la otra punta del comedor.

—No me puedo creer lo que estoy viendo —susurró, metiendo su cucharilla de plástico en la gelatina de lima que se estaba comiendo—. Viene hacia aquí, hacia nuestra mesa. Va en serio.

Frankie y yo nos giramos de golpe para ver qué estaba mirando Ashley. ¡Socorro! Era la señora Adolf. Se acercaba a nosotros con un plátano muy pasado en una servilleta.

«No. Esto no puede estar pasando», me dije.

—¿Te importa si me siento a tu lado, Samuel? —me preguntó.

«¿Que si me importa? ¡Sí, sí que me importa! A todas las células de mi cuerpo les importa, sobre todo a las que van a estar más cerca de ella cuando se siente».

—Claro que no —contesté, con la esperanza de que se lo pensara mejor y se sentara en la ciudad vecina.

En el comedor, todos se habían quedado callados y estaban observándonos. Era muy raro que la señora Adolf se acercara tan campante, se acomodara en el banco y se pusiera a charlar con nosotros. No es precisamente la más simpática y afectuosa de las profesoras.

—Quería hablar contigo de Yoshi —dijo mi profe, dando un mordisco al plátano. Me fijé en que estaba comiéndose la parte marrón, justo la que la gente normal quita con un cuchillo y tira a la basura.

—¿Qué pasa con Yoshi?

—Bueno, Samuel, he estado pensando y... ¿no te parece que a Yoshi le gustaría ver cómo vive una familia típica estadounidense?

—Mi familia le va a dejar alucinado.

La señora Adolf bajó la vista hacia la mesa y vio mi rosca de brócoli y champiñones embadurnada de garbanzos picados.

—Me he fijado en que la cocina de tu madre no es precisamente, ejem, típica —dijo ella, y sujetó en alto la rosca procurando en todo momento tocar solo el papel encerado que la envolvía—. No querría que Yoshi se llevara una mala impresión.

Dicho esto, dio otro mordisco al plátano podrido. ¡Habló la experta en comida que da mala impresión! Tendríais que haber visto esa papilla amarilla aplastándose entre sus dientes.

—La familia de Sam es un poco especial, pero es muy divertido estar con ellos —me defendió Frankie—. ¿Sabe que tienen una iguana de mascota?

—Se llama *Catalina* —apunté yo—. Duerme en la bañera.

—¿Una iguana en la bañera? —dijo la señora Adolf, levantando tanto las cejas que casi se le salieron de la cara—. ¿Te parece higiénico tener así el baño?

He de confesar que a mí *Catalina* tampoco me vuelve loco, sobre todo cuando la encuentro metida en el cajón de mi ropa interior. Pero lo que menos me interesaba era que la señora Adolf se metiera con la higiene de nuestro baño.

—Ya verá cuando Yoshi conozca a *Rosco* —dije, intentando cambiar de tema—. Se van a llevar de miedo. Es el perro más cariñoso del mundo. Bueno, usted ya lo conoce.

—¡Ah, ese perro! —exclamó mi profesora—. Ese que no deja de dar vueltas sobre sí mismo hasta que acaba tirando a alguien al suelo. Eso tampoco es muy típico, Samuel.

—Para él, sí —contesté.

Frankie y Ashley se partían de risa, pero la señora Adolf meneó la cabeza en silencio.

—Además, a Yoshi le encantaría el abuelo de Sam —terció Ashley.

—Papá Pete es el mejor —añadió Frankie—. Nombrará a Yoshi nieto honorario, como a Ashley y a mí.

—Yo también lo soy —dijo Robert—. Aunque Papá Pete siempre se queja de que, como soy tan delgado, no puede pellizcarme.

—Ah, el abuelo que come pepinillos en vinagre —comentó la señora Adolf.

—Los prepara él mismo —dije con orgullo—. Los pepinillos con ajo y eneldo son su especialidad.

—Lamento decirte esto, Samuel, pero no creo que a los japoneses les gusten los pepinillos con ajo —repuso la señora Adolf.

—Entonces se pierden lo mejor de la vida —respondí.

—Samuel... —dijo la señora Adolf, acercándose tanto a mí que pude ver la pasta de plátano entre sus dientes—, estoy intentando decirte que, en mi opinión, deberíamos dar a nuestros amigos japoneses lo mejor que nuestro país puede ofrecer. Y no sé si lo tendrán estando con tu familia.

—Yoshi se lo pasará muy bien en mi casa —le dije. No sabía si estar enfadado o triste, así que estaba las dos cosas a la vez.

—Sí —terció Frankie—. La familia de Sam es muy dulce. Y muy salada. Las dos cosas a la vez —añadió—. Díselo tú, Ashwina.

—Son muy buena gente —aportó ella.

—Además, Estados Unidos es el país de la diversidad —le dijo Robert a la señora Adolf—. Y la familia de Sam es diversa. Eso es. Muy, muy, muy, muy diversa.

La profesora suspiró. Aquello la había dejado muda. Era un argumento irrefutable. Así que cogió la piel de plátano y se fue.

«¡Bravo, Bonsái!», pensé, y todos nos acercamos a Robert y le dimos unas palmaditas en la espalda. Por desgracia, nos entusiasmamos demasiado al hacerlo y la pobre criatura acabó cayendo de bruces encima de su plato de empanadas de pescado.

CAPÍTULO 4

Después del almuerzo, mientras el resto de la clase estudiaba el mapa de los ríos de Norteamérica, la señora Adolf me llamó a su mesa.

—Samuel —me dijo— , quiero que apuntes las diez cosas que te gustaría hacer con Yoshi mientras esté en tu casa.

—Esa es una idea genial, señora Adolf. He estado dándole vueltas a un montón de cosas divertidas que podríamos hacer juntos.

—Muy bien. Luego me pasaré por tu pupitre para mirar la lista. Y recuerda, Samuel: la ortografía cuenta.

«¿La ortografía cuenta?». *La ortografía cuenta* debe de ser la frase que más odio de todas las que hay. Aunque la señora Adolf sabe que no aprendo como los demás, y que escribir con buena ortografía es prácticamente imposible para mí, sigue bajándome la nota si cometo errores. Dice que los alumnos con problemas de aprendizaje tienen que aprender las cosas como el resto. Según ella, lo único que tienen que hacer es poner más empeño. Se nota que nunca ha estado dentro de mi cerebro cuando intento escribir bien. A veces el pobre tiene que trabajar a tanta potencia que casi se huele el humo que echa. Hasta que al final se cae redondo y dice: «¡ME RINDO!».

Pero yo deseaba tanto que Yoshi se quedara en mi casa que me esforcé mucho por escribir correctamente todas las palabras de la lista. Incluso consulté muchas en el diccionario, cosa nada fácil para un niño con dislexia (que es lo que yo tengo).

Al empezar el curso era totalmente incapaz de utilizar el diccionario, pero la especialista en aprendizaje de la escuela, la doctora Lynn Berger, me ha estado ayudando después de las clases, y ella me ha enseñado a deletrear algunas palabras para poder consultarlas. Cuando encuentro una palabra en el diccionario, me pongo muy contento, la verdad.

Total, que después de buscar todas las palabras sobre las que dudaba, mi lista quedó así:

DIEZ COSAS DIVERTIDAS QUE HACER CON YOSHI MORIMOTO

SAM ZIPPER

Con un poco de ayuda del diccionario (mejor dicho, con mucha ayuda del diccionario)

1. Jugar con la consola en mi habitación.

2. Jugar con la consola en la habitación de Frankie.

3. Jugar con la consola en la habitación de Ashley.

4. Ver películas de monstruos en la tele.

5. Ver películas de *ninjas* en la tele.

6. Ver series antiguas en la tele.

7. Montar un concurso de eructos.

8. Montar un concurso de eructos mientras jugamos con la consola en mi habitación.

9. Montar un concurso de eructos mientras vemos series antiguas en la tele.

10. Montar un concurso de crujirse los nudillos.

Por cierto, me pasé como una hora buscando la palabra *habitación* en el diccionario. ¿Vosotros sabíais que habitación empieza con *h*? Os juro que no entiendo qué hace ahí esa *h*. Parece que la hayan puesto para que la gente se vuelva loca buscando *habitación* por la *a*. Por suerte, Frankie sabe mucho de ortografía y me avisó de que estaba esa *h* traicionera, de modo que pudiera encontrar la dichosa palabra en el diccionario. Menos mal, porque si no ya no podríamos hacer todas esas cosas ni en mi habitación ni en la de mis amigos.

Cuando terminé, dejé el lápiz sobre la mesa, me arrellané en la silla y leí la lista de cabo a rabo. Era genial. Si yo fuera Yoshi Morimoto y me invitaran a hacer todas esas cosas, volvería a casa pensando que Estados Unidos es el país más divertido y enrollado del mundo.

Sin embargo, cuando la señora Adolf se acercó a leer la lista, creí que los ojos se le saldrían de las órbitas y rebotarían por el suelo del aula como pelotas de *ping-pong*.

—Samuel —dijo, y el cuello se le llenó de esas manchitas rojas que le salen cuando se enfada mucho—, espero que esto sea una broma.

No sabía cómo darle la dura noticia de que no lo era, así que cerré la boca, por aquello de que en boca cerrada no entran moscas.

Pasé el resto de la tarde volviendo a escribir la lista sin poder librarme de la respiración de la señora Adolf, que me daba en la nuca. Cuando

terminamos, nuestra nueva lista contenía actividades tan tronchantes y trepidantes como estas:

1. *Describe tu asignatura favorita* (qué tostón).

2. *Cuéntale tres curiosidades sobre tu país* (tostón y medio).

3. *Recita un poema escrito en tu lengua materna* (¡ni en sueños!).

4. *Haz un dibujo de tu bandera* (¡por encima de mi cadáver!).

5. *Practicad juntos un baile regional* (¡ni en sueños y por encima de mi cadáver!).

Aunque no conocía a Yoshi Morimoto, sabía
que no podía ser muy diferente de los niños de
mi edad. Y sabía que si veía esa lista, se marcharía
corriendo y no pararía hasta llegar a Japón, por
mucho que sea un país insular rodeado de agua.

CAPÍTULO 5

Esperé hasta después de la cena para preguntar a mis padres si Yoshi podía quedarse a dormir con nosotros. No creía que dijeran que no, pero con los padres nunca se sabe. Siempre existe la posibilidad de que salgan con algún motivo de lo más extraño para decir que no (como, por ejemplo, que tienes que ir a una clase de tango con tu madre o hacer de canguro de la iguana de tu hermana). No os riais, que ya me he perdido dos fiestas en casa de Frankie precisamente por esos motivos.

En cuanto nos terminamos el *soufflé* de remolacha y el tofu revuelto con castañas, me levanté para quitar la mesa enseguida. Tengo por norma ayudar todo lo que pueda en casa si voy a pedirles a mis padres algo importante.

—Anda —dijo mi hermana Emily mientras yo apilaba todos los platos sobre mi brazo—, mira quién está quitando la mesa sin comprobar siquiera si es su turno…

—¿Y qué pasa si quiero echar una mano? ¿No está para eso la familia? —respondí, lanzando una gran sonrisa a mis padres.

—Me da que alguien ha suspendido otro examen de mates —repuso Emily. Ella es una gran estudiante y en sus nueve años de vida no ha suspendido nada. Tampoco necesita hacerlo, porque ya suspendo yo por los dos.

—¿Alguien quiere una infusión? —pregunté.

—Qué buena idea, Sam —dijo mi madre.

—¿Sabíais que en Japón toman muchas infusiones? —comenté, recalcando la palabra *Japón*. A veces me sorprendo a mí mismo de lo astuto que soy. Vaya forma de introducir el tema, ¿eh?

Me metí en la cocina, dejé los platos en el fregadero y llené el cazo de agua para calentarla.

—¿Qué tipo de infusión queréis? —dije, mirando en la lata azul y redonda en la que mi madre guarda las bolsas de infusiones—. Tenemos «Mil flores de colores», «Zarzamora de la morería» y «Alma en calma».

Había otros tres o cuatro tipos de infusiones, pero no los ofrecí porque tenían nombres demasiado difíciles de leer.

—Lo que más te apetezca, tesoro —contestó mi madre desde el comedor—. Sorpréndenos.

Por supuesto, elegí «Alma en calma». Quería que mis padres estuvieran muy en calma cuando les pidiera lo de Yoshi. ¿Con qué cara le diría a la señora Adolf que mis padres se habían negado? Pasaría una vergüenza horrible.

Cuando la infusión estuvo lista, cogí la tetera y las tazas y abrí la puerta batiente con el trasero para entrar en el comedor. Pero, de pronto, *Catalina* salió escopetada de debajo de la mesa y se me puso justo enfrente, meneando su larga cola de un lado a otro junto a mis pies. Empecé a tambalearme sin remedio. Por suerte, tuve tiempo de lanzar un aviso antes de que mis piernas cedieran por completo:

—¡La tetera! —chillé.

Mi padre se levantó de un salto y cogió la tetera de mis manos, y mi madre agarró las tazas en el último momento. Yo salí volando sobre la cola de la iguana y aterricé en la alfombra. Me quedé allí tumbado, panza abajo, frente a los morros de la escamosa bestia. A *Catalina* le dio entonces por sacar su lengua gris verdosa y tocarme la nariz con ella.

Emily no podía parar de reír, pero cuando se dio cuenta de que yo NO estaba riéndome, se puso muy seria de golpe.

—Sam, ni se te ocurra gritarle a *Cata* —me advirtió—. Ya sabes cuánto se disgusta cuando cree que te has enfadado con ella.

«¿Cómo? ¿Que la iguana se disgusta? He sido yo el que ha recibido un lametazo de papel de lija después de sufrir un aterrizaje de emergencia sobre mi barriga», pensé, indignado. Cualquier otro día le habría echado la bronca a Emily por dejar que su feo, escamoso, repugnante y espeluznante lagarto se me metiera entre los pies. Pero estaba a punto de plantearles un tema muy importante a mis padres, y aquel no era el mejor momento para pelearse. Así que conté hasta cinco con los dientes apretados y después acerqué una mano al hocico de *Catalina* y le di unas suaves palmaditas (aunque de lo que realmente tenía ganas era de estamparla contra la alfombra).

—Son cosas que pasan, amiguita —le dije—. Espero no haberte hecho daño en esa cola tan mona y áspera que tienes.

A Emily se le descolgó tanto la mandíbula que creí que iba a necesitar una grúa para volver a colocarla en su sitio.

—Vaya, Sam, qué considerado has sido con los sentimientos de *Cata* —dijo.

—Si un chico como yo no trata bien ni a la iguana de su hermana, ¿qué sentido tendría...? —empecé, pero me interrumpí porque no sabía cómo terminar la frase.

Miré a mis padres por el rabillo del ojo y vi que mi madre sonreía. Le encanta que sus hijos se lleven bien. Incluso mi padre levantó la vista de su crucigrama y durante un segundo me dirigió un pequeño asentimiento. Aunque puede que sea algo exagerado describir ese asentimiento como «pequeño». En realidad, fue más como un parpadeo imperceptible.

—Deja que te sirva una taza, papá —dije, levantándome de un salto.

Entonces le llené la taza y, juntando las manos delante de mí, le hice una reverencia. Después le serví la infusión a mi madre y le hice otra reverencia.

—¿A qué viene tanta reverencia? —me preguntó Emily—. ¿Se te ha escapado un *ninja*, silencioso pero letal?

—Para que lo sepas, estoy realizando la ceremonia del té japonesa —le expliqué.

—Bueno, pues para que lo sepas, resulta que vivimos en Nueva York, no en Japón —replicó ella.

—Es que he pensado que estaría bien practicar un poco para cuando venga Yoshi a casa.

—¿Qué Yoshi? —preguntó mi padre, sin apenas levantar la vista del crucigrama.

—Yoshi Morimoto.

—¿Ese no es el chef japonés del canal de cocina? ¿Para qué querría venir a casa?

—Es que no va a venir.

—Pero si acabas de decir que sí.

Cuando mi padre está resolviendo un crucigrama, escucha solo por una oreja, y por lo tanto solo entiende la mitad de lo que le dicen.

—Escúchame, papá —le dije—. Quítate de la cabeza lo del chef japonés. Yoshi Morimoto es un chico que vendrá a nuestro colegio para el Día de las Culturas. Y nosotros hemos sido elegidos para ser sus anfitriones. Se quedará a dormir dos noches aquí esta semana si vosotros estáis de acuerdo. Y me imagino que no querréis dejar pasar la actividad educativa más importante del siglo, ¿no?

—Es una idea estupenda —dijo mi madre—. Aunque el cuarto de baño me tiene preocupada.

—¿Qué le pasa al cuarto de baño?

—Tendríamos que cambiar el papel de la pared, Sam. No podemos permitir que un invitado de otro país se encuentre con un papel hecho jirones.

¿Veis lo que os decía de los padres? Te crees que los conoces, y en el último minuto te salen con un problema rarísimo, más impredecible que una bola lanzada con efecto.

—Mamá, el papel de la pared está bien. No tenemos que cambiar nada de nuestra casa. De hecho, se trata de que Yoshi vea cómo vive una familia típica estadounidense. Le encantará estar aquí.

—¿Tú qué piensas, Stan? —le preguntó mi madre a mi padre.

—Podría enseñarle a ese chico mi colección de portaminas —contestó mi padre—. Algunos de ellos son únicos, ya lo sabéis.

—Muy buena idea, papá —le animé—. Seguro que nunca ha visto tantos portaminas juntos.

Mi padre asintió. Está muy orgulloso de sus lápices portaminas, a los que llama LPM. Tiene un cajón lleno, y los hay de todos los colores y todos los metales conocidos y por conocer.

—Tendrás que preguntarle a tu hermana qué piensa de tener un invitado en casa, Sam —apuntó mi madre—. También es su casa.

—Pues pienso que puede ser divertido —dijo Emily—. ¿Tú qué dices, *Catalina*?

—Un momento —protesté—. ¿Desde cuándo puede votar el lagarto?

—Es un miembro más de esta familia. Pero no te preocupes, porque dice que sí, ¿verdad, *Cata*? —contestó Emily, cogiendo una de las patas de su mascota y levantándola en alto, como si estuviera votando. *Catalina* siseó. No parece que a las iguanas les guste mucho la democracia…

Justo entonces se despertó *Rosco*, que estaba durmiendo en el sofá del salón. Se acercó corriendo a la chimenea y se puso a ladrar a los ladrillos, que es uno de sus pasatiempos favoritos, aparte de lamerlos o de perseguirse el rabo.

—Creo que *Rosco* también quiere votar —observó Emily.

—¡Hola, *Rosco*! —le dije mientras me sentaba a su lado—. ¿Tú qué votas? Ladra si es que sí.

Rosco se puso panza arriba y le rasqué en una manchita blanca que tiene debajo de la barbilla. Le encanta que le rasquen ahí. Soltó un suave ruidito que podía contarse perfectamente como un ladrido.

—Entonces, es unánime —anunció mi madre—. Toda la familia ha votado a favor de que Yoshi venga a casa.

Sin perder un segundo, me fui hacia donde estaba mi mochila y saqué la autorización. Mi padre la firmó con su LPM rojo, y después nos abrazamos todos.

Yoshi se quedaría con nosotros. El pacto estaba sellado, y al más puro estilo Zipper. Es decir, un pacto entre dos padres, dos niños, una iguana siseante y un perro salchicha que ladra a los ladrillos de la chimenea. La típica familia norteamericana.

CAPÍTULO 6

El día siguiente era martes, y nuestra clase dedicó todo el día a preparar la llegada de Yoshi y su padre. Llegarían el miércoles por la mañana y se quedarían hasta el viernes. Yoshi asistiría a las clases del miércoles y después vendría a dormir a mi casa. El día siguiente, el jueves, era el gran Día de las Culturas, y lo celebraríamos en todo el colegio. Yoshi y su padre, el señor Morimoto, eran los invitados de honor. Todos los de mi clase prepararíamos recetas de otros países. Después, llevaríamos todos los platos al salón de actos y allí celebraríamos un gran banquete multicultural.

Por la mañana, la señora Adolf nos hizo limpiar todos los pupitres para que estuvieran perfectos cuando llegara Yoshi. Yo, personalmente, no veía la necesidad. Como si no tuvieran pupitres sucios en Japón. Cuando pregunté por qué teníamos que limpiarlos, la señora Adolf contestó:

—Tenemos que dar lo mejor que nuestro país puede ofrecer, Samuel.

Lo que yo pienso es que si íbamos a dar lo mejor de nuestro país, ella podría empezar quitándose esos horribles zapatos grises que lleva todos los días y cambiarlos por unas deportivas bien guapas, por ejemplo verdes y amarillas. O por lo menos podría rociárselos con desodorante.

La señora Adolf recorrió todas las filas de pupitres con su cuaderno del profesor en la mano, haciendo una marca al lado de tu nombre cuando consideraba que tu pupitre estaba lo bastante limpio. Yo fui el último en ganarme la marca. Con lo que me hizo tirar, llené una papelera entera, pero es que lo que guardaba en mi pupitre eran cosas muy importantes: una barrita de chocolate a medio comer que me reservaba para una emergencia (oye, nunca se sabe cuándo puede entrarte un ataque de hambre), un rotulador seco con olor a mora que todavía olía un poquitín a mora (cómo iba a echar de menos ese rotulador con olor a mora) y, ah, los siete clips doblados en forma de triángulo que utilizaba para jugar al «hockey de pupitre».

Después del almuerzo, el director vino a nuestra clase para darnos una charla sobre cómo teníamos que comportarnos mientras estuviera Yoshi.

El señor Love es un hombre bajito y calvo, pero su voz parece la de un jugador de la NBA con el pelo negro y abundante.

—Todos y cada uno de los alumnos están representando no solo a este colegio, sino también a esta ciudad, este estado ¡y todo el país! Nos están representando cuando caminan, cuando hablan, cuando corren y cuando saltan. Nos están representando cuando levantan la mano, pero no cuando no la levantan.

Por cierto, no es preocupéis si os habéis perdido. Se me ha olvidado deciros que nadie entiende los discursos del señor Love. Y juraría que él tampoco los entiende, porque siempre tiene una expresión confundida en los ojos cuando nos da una charla.

Yo sabía que no podía mirar a Frankie o a los dos se nos escaparía la risa, pero sí que miré a Ashley. Se la veía como hipnotizada, mirando fijamente el lunar de la mejilla del director. Ah, también se me había olvidado contaros esto. El señor Love tiene un lunar en la cara con la forma de la Estatua de la Libertad, solo que sin la antorcha. Y cuando habla parece que la Estatua de la Libertad baila la danza del vientre.

Mientras el señor Love seguía con su discurso interminable, Ashley se volvió hacia mí y puso los ojos totalmente en blanco, mirando hacia arriba. Eso no es nada fácil, pero mi amiga sabe hacer un montón de muecas y trucos de ese tipo. Yo sabía que no podía reírme, pero era incapaz de contenerme y al final se me escapó una risilla por la nariz. La señora Adolf me dirigió una mirada asesina y tuve que taparme la nariz para devolver la risa al cerebro.

A la hora de plástica, unos cuantos nos ofrecimos voluntarios para ir al aula del señor Rock a hacerle a Yoshi una pancarta de bienvenida. Su aula está en el sótano y es la más grande de la escuela, y allí teníamos todo el espacio que necesitábamos para preparar una pancarta bien grande. El señor Rock es el profesor de música del cole, un tío genial. De hecho, fue el primero al que se le ocurrió que me hicieran unas pruebas para ver si tenía problemas de aprendizaje. Él mismo los tenía, pero siempre dice que no dejó que eso fuera un obstáculo para conseguir su sueño de dedicarse a la enseñanza.

El señor Rock desplegó una larga hoja de papel de embalar mientras Frankie y Héctor empezaban a mezclar las pinturas. Ryan había llevado un folio con las palabras «Bienvenido, Yoshi» escritas con caracteres japoneses. Se lo había escrito su padre, que nació en Japón. La idea era intentar copiar los caracteres en la pancarta, pero parecían muy complicados. Ryan dijo que existen casi dos mil, y que se combinan entre sí para formar la escritura japonesa. ¡Pues menos mal que no he nacido en Japón! Si hubiese tenido que aprender a escribir todos esos caracteres, nunca habría pasado de preescolar.

—Señor Rock, ¿puedo decorar la pancarta con estrás? —preguntó Ashley—. He traído cristales rosas de casa. A lo mejor le recuerdan a Yoshi los cerezos en flor de la primavera de Japón.

Desde la puerta del aula llegó entonces una bocanada de aliento de dragón que reconocí inmediatamente: era el de Nick McChinche, que huele a mantequilla de cacahuete podrida. Me di la vuelta y, en efecto, allí estaba el gran mentecato, colándose en la clase del señor Rock. ¿Acaso alguien le había pedido ayuda?

—¡Cristalitos! —rio McChinche—. ¡Eso sí que es de nenas!

—Ashley está desarrollando su creatividad —le dijo el profesor—. Aquí animamos a todo el mundo a ser creativo.

—Ja, ja, ja —le susurró Ashley a McChinche mientras sacaba una bolsita de cristales rosas y su barra de pegamento—. Te mereces que te cierre la boca con estrás.

Frankie y Héctor terminaron de mezclar las pinturas y las acercaron al papel, y Ryan y yo nos preparamos para empezar a esbozar las letras japonesas, pero entonces McChinche estiró su gordo brazo por delante de nuestras narices para coger una brocha y estuvo a punto de derramar los botes de mermelada que contenían la pintura.

—Soy uno de los mejores artistas de Manhattan —dijo, como si alguien fuera a creerle—. Una vez gané un trofeo, pero es tan grande que casi no cabe en mi habitación.

A eso lo llamamos el factor Nick: la verdad multiplicada por cien. Nadie le hace caso cuando se pone a fardar así. Pero como nadie ha ido nunca a su casa a jugar (menos Luke el Mocoverde, en una ocasión), esa vez no pudimos contradecirle.

—Ah, por cierto, colega, estamos escribiendo en japonés —le dijo Frankie—. Tú sabes hacerlo, ¿verdad?

McChinche miró con ojos entornados las letras japonesas del papel de Ryan, y cuando volvió a levantar la vista, su cara de torta tenía una expresión más perpleja que de costumbre. No sabía qué tenía que hacer, así que su mirada recorrió el aula en busca de alguien con quien meterse hasta que se posó en mi persona.

—Oye, cara de Ziplodocus —bramó—, esto parece una tarea ideal para ti, porque con la letra que tienes parece que escribes en japonés aunque no te lo propongas.

—Ya está bien —le regañó el señor Rock—. En esta clase no se hace burla de nadie.

¿Veis lo que os decía? El señor Rock es genial.

—Solo estoy diciendo las cosas como son —contestó McChinche, encogiendo sus hombros de toro—. Parece que Zipitín escribe con el pulgar del pie.

—La puerta está ahí —le dijo el señor Rock a Nick, quitándole la brocha de las manos y señalando en dirección al pasillo.

—¿Y? Ya sé dónde está.

—Pues entonces cógela y vete. Cuando aprendas a no burlarte de la gente, podrás volver.

Nick se puso rojo como un pimiento y se quedó allí parado, pero el señor Rock tampoco se movió. Finalmente, McChinche masculló unas palabras entre sus sucios dientes y salió como una exhalación. A mí me entraron ganas de ponerme a saltar y a gritar. Jo, qué gusto daba ver que echaban a McChinche de un aula. A continuación, el señor Rock vino hacia mí y me pasó una brocha.

—Bueno, Sam, si no me equivoco tienes una pancarta que pintar —me dijo, dándome un firme apretón en el hombro.

Cogí la brocha y empecé a pintar. En aquel momento decidí que, en cuanto tuviera ocasión, la primera persona a la que presentaría a Yoshi sería al señor Rock.

Para mí, él es un buen ejemplo de lo mejor que nuestro país puede ofrecer.

CAPÍTULO 7

Me hacía tanta ilusión conocer a Yoshi que no pegué ojo en toda la noche. Cuando, a la mañana siguiente, sonó el timbre del colegio, yo ya estaba con la cara pegada a la ventana de mi clase, vigilando la calle. Cada vez que un coche se paraba delante del edificio, esperaba ver a Yoshi y a su padre saliendo de él. Me moría de ganas de que llegaran.

No sé si os habréis formado una imagen mental de Yoshi, pero yo sí lo había hecho. En mi imaginación era tirando a bajito, más o menos de mi estatura (algunas personas consideran que eso es ser bajo, pero yo prefiero la expresión «tirando a bajito»). Por supuesto, tendría el pelo negro como la tinta, seguramente con un flequillo lacio y recto. Había visto ese corte de pelo en todos los libros sobre Japón que la señora Adolf nos había enseñado. Además, se me ocurrió que seguramente llevaría uniforme. Nuestra profesora nos había dicho que la mayoría de los niños japoneses van con uniforme al colegio. También caminaría al lado de su padre, guardando silencio y respeto, porque a los niños japoneses se les educa para que se comporten muy bien cuando hay gente mayor delante.

Bueno, pues mi obligación es deciros que Yoshi Morimoto no se parecía en nada a lo que esperaba. Ni de lejos, vamos.

Cuando le vi por primera vez, Yoshi iba zumbando por la acera, montado en un monopatín negro decorado con llamas de un color naranja vivo. La verdad es que controlaba un montón. Corría a toda pastilla por delante de su padre y luego daba un giro de 360 grados para permitir que le alcanzara. Era más alto que yo, puede que incluso más que Frankie. Y no iba de uniforme, ni mucho menos. Llevaba unos vaqueros y una camiseta de Nueva York con una manzana estampada, de las que puedes comprar en cualquier tienda turística. Y calzaba unas deportivas plateadas que parecían llegadas de otra galaxia en una nave espacial. Creo que eran las zapatillas más molonas que he visto jamás. Y olvidaos del flequillo lacio del que os hablaba antes. Llevaba el pelo engominado y de punta, como un puercoespín. Un puercoespín muy a la moda.

—¡Ya está aquí! —grité.

Toda la clase corrió hacia la ventana. Katie fue la primera en llegar. Pegó la cara al cristal y miró afuera.

—Guau —suspiró—. ¡Cómo mola!

—Tiene un monopatín flipante —añadió Héctor.

—Yo quiero llevar el pelo así —dijo Luke.

—Señora Adolf, ¿podemos bajar a saludar a Yoshi? —pregunté.

—No creo que sea necesario, Samuel —contestó ella—. El señor Love se encargará de darle la bienvenida y acompañarle hasta aquí.

—Pero el señor Love le va a matar de aburrimiento —repliqué.

«Sam, ¡no habrás dicho lo que acabas de decir!», pensé, y me tapé la boca con la mano. ¿Cómo se me ocurría salir con algo así? ¡No puedes insultar al director de la escuela delante de tu profesora! Pero esas palabras habían salido de mi boca antes de que pudiera hacer nada para impedirlo, así que la clase entera estalló en carcajadas. Cerré los ojos, preparándome para ver a la señora Adolf muy enfadada.

—Pues no te falta razón —comentó ella, sorprendentemente—. Sus disquisiciones tienden a provocar cierto tedio. De hecho, *aburrimiento* es una palabra bastante acertada.

«¡Hala! ¿No habrá un ser humano bajo toda esa ropa gris?», me dije, y así fue como la señora Adolf nos dejó ir a dar la bienvenida a Yoshi. A los treinta y dos alumnos de la clase.

—Lo que has dicho ha sido alucinante —comentó Frankie mientras bajábamos a toda prisa por la escalera—. Eso sí que es llamar a las cosas por su nombre, Zipilipi.

Esta bocaza que tengo siempre me mete en líos, pero, por una vez, había hecho algo bien. ¡Yupi!

CAPÍTULO 8

Bienvenido

Cuando llegamos abajo, el señor Love estaba ante los escalones que dan a la entrada principal largando su particular discurso de bienvenida. No es que me considere un experto en moda, pero incluso yo me di cuenta de que iba vestido de una forma bastante rara. Normalmente lleva unos anticuados zapatos negros con tiras de velcro que rechinan cuando se pasea por los pasillos. Eso de por sí ya es grave, pero resulta que en los días especiales se pone unas deportivas que él mismo ha pintado con los colores del colegio, azul y amarillo. Como os lo estoy diciendo: una zapatilla de color azul y la otra de color amarillo. Lucía esas piezas únicas en honor del señor Morimoto y de Yoshi.

Y como si calzar esas deportivas pintadas de azul y amarillo no fuera para meterle en un circo, el señor Love llevaba una bufanda azul y amarilla que le había tejido su mujer, con unas borlas largas y peludas en cada extremo que le llegaban casi hasta las rodillas. Parecía más un payaso loco que un director de escuela, sobre todo si lo comparabas con el señor Morimoto, que tenía un aire muy distinguido con su abrigo negro y sus guantes negros de piel, y con el pelo brillante y peinado hacia atrás.

Mientras el señor Love seguía hablando como si fuera el alcalde de Nueva York o algo así, me quedé observando a Yoshi. Estaba mirando hacia la avenida Ámsterdam, es decir, que había visto el puesto ambulante de la esquina donde venden perritos calientes y rosquillas saladas. Se me ocurrió que luego le podría preguntar si le apetecía pasarse por allí a por un perrito, y de pronto un pensamiento me llegó a la cabeza: «¡Ese chaval ni siquiera debe de saber mi idioma!». ¿Por qué iba a hablar otra cosa que no fuera japonés? Al fin y al cabo, vivía en Tokio…

Aquello iba a ser un gran problema. Las únicas palabras que yo sabía en japonés eran *domo* y *arigato*. O sea, que cuando hubiera terminado de darle las gracias ya se nos habrían terminado los temas de conversación.

«Espera un momento, Sammy. Siempre te quedan las manos. La gente se comunica con gestos desde el principio de los tiempos».

Pensé que valdría la pena intentarlo. Yoshi seguía observando al hombre del carrito, que estaba asando una nueva tanda de salchichas con cebolla. Tosí muy fuerte para llamar la atención de Yoshi, y entonces intenté captar su mirada. Cuando por fin me miró a los ojos, le hice señas con las manos que, en mi mente, decían: «Oye, colega, pasémonos luego por el puesto y nos papeamos unos perritos calientes».

Yoshi se quedó un poco perplejo, así que volví a hacerle las mismas señas. A mí me pareció que mi lenguaje gestual estaba muy claro. Señalé el carro, y después hice el gesto de apretar el bote de mostaza sobre un perrito para comérmelo. Estaba frotándome la panza para indicar lo rico que estaba cuando, de pronto, noté que Frankie me daba unos toquecitos en el hombro.

—¡Vuelve a la Tierra, Zip! ¡Te están hablando! —me susurró.

Levanté la vista y me di cuenta de que el señor Love había interrumpido su discurso y estaba diciéndome algo.

—¿Necesita ausentarse un momento, señor Zipper? —me preguntó.

—¿Quién, yo?

—Me ha parecido que tal vez, a juzgar por sus movimientos, necesitaría, en fin, utilizar las instalaciones para los chicos.

«¿Instalaciones? ¿De qué instalaciones está hablando? ¿Del laboratorio de ciencias? ¿Del armario de material escolar?».

—Los aseos —añadió el señor Love, hablando por un extremo de la boca como si de ese modo nadie más pudiera oírle.

«¡Anda! ¡Cree que tengo que ir al baño!», me dije. Normal. Me di cuenta de que tenía la mano en la barriga y de que todavía me la frotaba describiendo grandes círculos. Todos se echaron a reír y yo deseé haber tenido un gran frasco de tinta invisible para echármela por encima y desaparecer.

—Estoy bien, señor Love, de verdad. Siga, siga. Me interesa mucho lo que está diciendo, igual que a todos. ¿A que sí, chicos?

Entonces se oyeron unos cuantos resoplidos ahogados, y es que todos estaban conteniéndose la risa. El director reanudó su discurso y la señora Adolf me lanzó una mirada fría como el hielo.

—¿No puedes comportarte como una persona normal aunque sea por esta vez? —me susurró Frankie—. La profe está vigilándote. Si sigues llamando la atención, no va a dejar que Yoshi se quede en tu casa.

—Y si no se queda en tu casa, me va a dar algo —me susurró Ashley a su vez.

—¿Y a ti qué más te da?

—¿Que qué más me da? —repitió ella—. Mírale bien. ¡Es guapíííísimo!

¿A qué venía todo eso? ¿Ashley Wong, mi mejor amiga, hablando como una descerebrada?

Pero es que Ashley no era la única que se había enamorado de Yoshi. Todos, chicos y chicas por igual, habían llegado repentinamente a la conclusión de que era la persona más guay que habían visto nunca. Tenía un aire particular, un aire que dice: «Este soy yo, y no se encuentra por ahí a mucha gente como yo».

Cuando el director terminó su discurso de bienvenida, que duró como mil horas, todos mis compañeros se agolparon inmediatamente alrededor de Yoshi. La señora Adolf dio tres palmadas para llamarnos la atención.

—Llevemos a Yoshi a la clase, chicos —dijo—. Allí tendréis tiempo de sobra para conocerle.

La profe empezó a subir la escalera y todos la seguimos, agrupándonos en torno a Yoshi como un rebaño. Héctor se ofreció a llevarle la tabla. Ryan se colocó a su lado.

—*Sensei* —le dijo, señalando a la señora Adolf.

Yoshi sonrió y asintió.

—*Sensei* —repitió.

—Eso significa «maestro» en japonés —le explicó Ryan al grupo.

—Es genial que hayas aprendido japonés de tu padre —comentó Ashley.

—En realidad lo aprendí en *Karate Kid* —contestó Ryan—. Al maestro de kárate, Miyagi, le llaman así.

—Me encanta esa peli —dijo Thomas—. La he visto un millón de veces. Tenemos las tres en DVD.

—¿No me digas? Pues nosotros tenemos diez DVDs de la película —saltó McChinche—. O incluso doce.

—Qué risa, McKelty, y yo soy poetisa —terció Frankie, y todos nos reímos al oír una de sus frases favoritas.

—*Karate Kid* es una peli genial —dijo alguien mientras seguíamos subiendo la escalera.

Miré a mi alrededor para ver quién había dicho eso. No reconocí la voz, así que pensé que era el Mocoverde haciendo una de sus imitaciones de actores famosos, que son tan malas que suenan todas igual.

—Miyagi mola que te pasas —añadió la misma voz.

Miré otra vez y entonces sí que vi quién había hablado.

¡Era Yoshi!

CAPÍTULO 9

1 speak English

¿**Q**uién se habría imaginado que Yoshi hablaba otro idioma, además del suyo? Son dos idiomas enteros, y eso es algo alucinante. Miradme a mí, por ejemplo: si ya me cuesta mucho trabajo dominar mi propia lengua, y eso que llevo aprendiéndola desde que era un bebé, aprender otra es... Bueno, no es que sea difícil de imaginar, es que es inimaginable.

Resulta que Yoshi era un fan de las películas y las series norteamericanas, y verlas en versión original le había ayudado mucho a aprender. Cuando volvimos a la clase, el Mocoverde era incapaz de quedarse quieto. Se puso a caminar como un zombi, chocando con todos los pupitres como si fuera un muerto. Al principio tenía su gracia, pero, como no paraba, empezó a hacerse pesado. Al final, Yoshi miró al Mocoverde y le dijo «Qué despiporre, nene», con una voz igual que la de Austin Powers en las películas. Nos reímos tanto que la señora Adolf tuvo que dar como treinta palmadas para que nos calmáramos.

Nuestra profesora inauguró el primer día de Yoshi en clase con diversión a raudales, al más puro estilo Adolf. Para mí que fue a la Academia de Profesores Aguafiestas. Y apuesto a que además era la primera de la clase.

Para empezar, nos hizo dibujar la bandera japonesa. Por suerte, es una bandera blanca con un círculo rojo en el centro, así que no tardamos ni medio minuto en terminar de dibujarla. Luego nos hizo entregársela a Yoshi, y el pobre se encontró con treinta y tres círculos rojos apilados en su pupitre. El muchacho se quedó sin palabras. Claro, ¿qué iba a decir? «Vaya, qué redondos son». O más bien: «¿Dónde está la papelera?».

Eso sí, se notaba que era muy considerado: miró los círculos rojos uno por uno, poniendo cara de interés aunque le diera lo mismo.

—¡Dabuten! —exclamó, y me recordó un montón a Bart Simpson al decirlo.

—Anda, ¿tú ves *Los Simpson*, Yoshimán? —le preguntó Frankie.

—¡Estoy segura de que no! —respondió la señora Adolf—. Ese gamberro de Bart Simpson es un mal ejemplo para los niños.

Si hay algo absurdo es hablar con la señora Adolf de programas de televisión, y más aún de *Los Simpson*. Una vez nos dijo que los niños no deberíamos ver los dibujos porque no son más que tonterías. Y ella piensa que no tiene sentido perder el tiempo con tonterías cuando puedes ocuparte de cosas serias como la historia o la ortografía.

—Bart Simpson mola mazo —nos susurró Yoshi a Frankie y a mí aprovechando que la señora Adolf estaba borrando lo que había en la pizarra. Le acerqué la mano y él me la chocó.

Ese tal Yoshi Morimoto era bastante legal. Mejor dicho, era alucinante.

En ese momento Heather levantó la mano y preguntó si podía enseñar una cosa que había llevado para que la viéramos. La señora Adolf, que quiere a Heather más que a nada en el mundo porque es una niña que lo hace todo bien, le sonrió y le dijo que claro que sí, que faltaría más. Si hubiera sido yo el que le hubiese preguntado si podía enseñar una cosa, se habría negado en redondo, eso sí, con una sonrisa en la boca.

Entonces Heather cogió una bolsa de supermercado y sacó un vestido de flores rojo y negro. Aunque no era un vestido exactamente, sino una especie de bata enorme. Heather se plantó frente a la clase y se la puso encima.

—¿Alguien sabe qué es esto? —preguntó, dando un par de vueltas sobre sí misma como una modelo.

—¿El albornoz de Drácula? —bramó McChinche, y abrió su gigantesca boca y estalló en carcajadas, como si acabara de contar el chiste más gracioso del mundo. Entre los dos dientes de delante se veían trocitos de la empanada que había desayunado.

Nadie más de la clase se rio y Yoshi se quedó mirándole, comprendiendo en el acto lo estúpido que era. Heather parecía a punto de llorar.

—Eso no ha tenido ninguna gracia, Nick —dijo, y debe de ser la única cosa que ha dicho en su vida que yo podría haber firmado. No, miento: una vez dijo que era alérgica a las gambas, y yo también lo soy.

—Yo sé lo que es —terció Katie, antes de que la señora Adolf le diera permiso para hablar—. Es un *quemono.* —Entonces se volvió hacia Yoshi y le lanzó la sonrisa más bonita que hayáis visto nunca—. ¿A que sí, Yoshi?

Si Katie me hubiese dirigido una sonrisa así, me habría derretido al instante como un helado de vainilla, pero a Yoshi se le veía incómodo. Clavó la mirada en el suelo y se removió en el asiento.

—Quimono —la corrigió—. No se dice *quemono*, sino quimono.

—¡Ah! Gracias, Yoshi —replicó Katie, pestañeando con sus bonitos ojos verdes.

—El quimono es el vestido tradicional de las japonesas —explicó Heather—. Mi vecina, la señora Yamazaki, me ha prestado este para que os lo enseñara.

Heather se paseó arriba y abajo entre los pupitres para que todos pudiéramos ver el quimono. De pronto, la puerta se abrió y el señor Love entró con el padre de Yoshi a su lado. El director estaba enseñándole la escuela. Al ver a Heather, el señor Morimoto le sonrió.

—Estás muy guapa con ese quimono —le dijo, haciéndole una pequeña reverencia—. Mi mujer, la madre de Yoshi, se casó con un quimono blanco adornado con flores de cerezo que se lleva en la época de primavera.

Ashley levantó la mano al momento.

—¿Y tenía brillantes rosas? —preguntó.

—No —contestó el señor Morimoto con una sonrisa—. Pero habría sido muy buena idea.

—Hablando de buenas ideas, esta mañana he visto una bolsa de galletas en la sala de profesores —le dijo el director al señor Morimoto—. ¿Qué tal si nos acercamos por allí para picar algo?

—De acuerdo, señor Love. Hasta mañana, Yoshi —se despidió de su hijo—. Hoy tienes el gran honor de pasar la noche en casa de uno de tus compañeros.

—No, no, señor, el honor es mío —repliqué—. Yo soy ese compañero. —No pude evitarlo. El comentario salió de mi boca sin más, y después miré a Yoshi sonriendo de oreja a oreja—. Lo pasaremos bien en mi casa, ya verás —le aseguré.

—*Ikiru* —me contestó.

—¿Qué quiere decir eso?

—«Genial» —me explicó.

—Pues lo mismo digo, colega. *Ikiru* —repetí, y entonces él levantó la mano y yo se la choqué.

CAPÍTULO 10

Nunca me había divertido tanto en el colegio como el día que tuvimos a Yoshi en clase.

Cuando fuimos al aula de plástica, nuestra profesora, la señora Anderson, dijo que había pensado que dibujáramos un bodegón con verduras, pero en lugar de eso sugirió que Yoshi (que resultó ser muy buen dibujante) nos enseñara a dibujar un auténtico superhéroe de manga japonés.

A la hora del recreo jugamos al béisbol. Frankie era el lanzador, y Yoshi bateó tan fuerte que la pelota voló por encima de la valla que da a la avenida Ámsterdam. Dijo que quería ser jugador profesional cuando fuera mayor. Lo malo es que es fan de los dichosos Yankees, igual que Frankie, pero, para mí, los Mets siempre serán el mejor equipo de Estados Unidos. He dicho.

En clase de música el señor Rock nos puso unos discos de música tradicional japonesa interpretada con instrumentos de cuerda. La verdad sea dicha, a mí me pareció bastante monótona, pero a Frankie le gustó. Dijo que le recordaba a la música que pone su madre cuando da clases de yoga. Entonces, Yoshi cogió su mochila y sacó un CD de un grupo de rap japonés. Lo pusimos, y el señor Rock hizo incluso un poco de *break dance*. No entendía la letra porque cantaban en japonés, pero la música era bastante similar a la que escuchamos aquí.

A la hora de la comida Yoshi sacó unos palillos y quiso enseñarnos a usarlos, pero casi nadie consiguió coger nada con ellos. Aquel día había albóndigas, y ya os podéis imaginar que un montón acabaron rodando por el suelo. Sin embargo, a Ashley se le daba muy bien, porque su abuela le había enseñado a comer con palillos. Entonces ella y Yoshi compitieron por ver cuál de los dos podía coger con ellos el trozo de comida más pequeño. Cuando Ashley ganó, Yoshi le hizo una reverencia y ella soltó una risita coqueta. Creo que nunca había visto a mi amiga reír así.

Me preocupaba un poco que Yoshi fuera luego a mi casa. Después de todo lo que nos habíamos divertido aquel día, me pregunté si se me ocurriría algo emocionante que hacer. De pronto, la

idea de sentarnos a ver la tele empezó a parecerme bastante aburrida.

Por la tarde a Frankie se le ocurrió una de sus brillantes ideas. Se inventó un juego llamado «Pregúntale al Yoshimán» y, no sé cómo, convenció a la señora Adolf de que nos dejara jugar a él. Cuando el bueno de Frankie te lanza su sonrisa con super-hoyuelo, no hay quien se resista a sus encantos, ni siquiera los profes.

El juego consistía en lo siguiente: Frankie sentó a Yoshi en una silla delante de la clase, y entonces cada uno de nosotros tenía que hacerle una pregunta. Él podía elegir entre decir la verdad o inventarse una respuesta falsa. Si creíamos que la respuesta era verdadera, teníamos que gritar «¡VERDAD!», y si creíamos que era falsa, «¡MENTIRA!».

—¿Cuál es tu deporte favorito? —le preguntó Thomas en primer lugar.

—El béisbol —contestó Yoshi.

—¡VERDAD! —gritamos todos.

—¿Tienes hermanos o hermanas? —quiso saber Kim.

—Tengo una hermana que es poetisa —respondió él, guiñándole un ojo a Frankie.

—¡MENTIRA! —gritamos.

—¿Alguna vez te has comido un caracol crudo? —le preguntó el Mocoverde.

—No, pero he comido pulpo crudo —respondió Yoshi.

—¡MENTIRA! —gritamos, aunque ahí nos equivocamos. Yoshi nos explicó que, en Japón, la gente suele comer pulpo crudo. Luke dijo que el día que coma pulpo escupirá las ventosas de los tentáculos.

—¿Alguna vez has visto a un luchador de sumo en vivo? —inquirió Ashley.

—Sí, mi tío lo es —respondió Yoshi.

—¡VERDAD! —gritamos todos. ¡Y lo era! ¿A que sería una pasada tener un tío luchador de sumo? Si a mí me parecía genial que mi tío tuviera un videoclub y nos hiciera descuento para alquilar películas, imaginaos tener un tío como el de Yoshi, que pesa 195 kilos y pelea en pañales.

—¿Cuál es tu plato favorito?

—Las enchiladas —contestó Yoshi.

—¡MENTIRA! —gritamos, riendo, pero ¿sabéis qué? ¡Resulta que era verdad, su plato favorito eran las enchiladas de queso!

Solo las había probado una vez, cuando un estudiante de México fue a su escuela, pero nunca olvidó lo ricas que estaban.

En aquel momento se me encendió la bombilla. De pronto, ya sabía lo que íbamos a hacer aquella noche en casa. Prepararíamos un plato muy especial para el banquete del día siguiente. ¡El chef Sam enseñaría a Yoshi a hacer enchiladas de queso!

En este punto seguramente os preguntaréis si alguna vez había preparado ese plato. Pues yo os diré que para todo hay una primera vez.

CAPÍTULO 11

Al salir de clase, volveríamos a nuestro edificio todos juntos: Frankie, Emily, Yoshi y yo, con Robert pegado a nosotros, como siempre. Ashley tenía entrenamiento de fútbol, y por eso se incorporaría al grupo más tarde, después de la cena.

Mientras esperábamos en la entrada del cole a que nuestros padres pasaran a recogernos, Yoshi nos enseñó alguno de sus trucos con la tabla de *skate*. Estaba perfeccionando su *kickflip*, y no hizo solo uno, ¡sino dos!

Emily no dejaba de mirarle con los mismos ojos de corderito que tenía Ashley la primera vez que le vio. En una escala del uno al diez, diría que el interés de Emily por Yoshi era de doscientos cincuenta y ocho.

—Ya empezamos —me susurró Frankie mientras observaba a Emily embobada con Yoshi—. Se le han puesto los mismos ojos que cuando mira a Robert.

—Esta niña es una máquina de poner ojos de corderito —le susurré a su vez—. Solo verla da grima.

Robert, celoso de la atención que Emily estaba dedicándole a Yoshi, intentaba una y otra vez que mi hermana se fijara en él. Emily y Robert tienen un vínculo de repelencia muy especial. Digamos que les une su gran amor por el maravilloso mundo de los reptiles. Por eso, cada vez que Yoshi intentaba un nuevo *kickflip*, Robert se dirigía a Emily para decirle cosas tipo: «Las serpientes no tienen párpados ni oídos», pero todo fue en vano. Pobre criatura, ya ni Emily le hacía caso.

Como esperaba a mis padres, me sorprendió mucho ver llegar a Papá Pete corriendo en chándal. Saludó al señor Baker, el guardia de tráfico voluntario, y se paró frente a nosotros, jadeando por el ejercicio. Respiraba con fuerza, aunque tengo que decir que está en muy buena forma para ser un abuelo de casi sesenta y ocho años.

En cuanto Yoshi vio que Papá Pete se acercaba, se bajó de la tabla de un salto, se dirigió hacia él y le dedicó una pequeña reverencia. Fue algo curioso. Mi abuelo parecía un oso pardo grande,

peludo y bonachón metido en un chándal rojo fresa, nada que ver con el tipo de persona a la que uno haría reverencias.

—Hola, nietos míos —dijo Papá Pete, agachándose para darnos un pellizco en la mejilla a cada uno. Me pregunté si también pellizcaría a Yoshi, pero no lo hizo. En lugar de eso, le devolvió la reverencia—. Tú debes de ser Yoshi —añadió—. Yo soy Papá Pete, el abuelo de Sam.

—Es un honor para mí conocerle, *ojisan* —respondió Yoshi, haciendo otra reverencia.

—Oye, Yoshi, puedes llamarle Papá Pete —terció Frankie—. Todos le llamamos así.

—En Japón llamamos *ojisan* a los ancianos —apuntó Yoshi—. Para mostrar respeto.

Ese comentario arrancó a Papá Pete una gran sonrisa, y empezó a enroscarse la punta de su largo bigote en los dedos.

—¡Bravo! Ya era hora de que alguien empezara a mostrarme un poco de respeto por aquí —replicó, dándonos a Frankie y a mí un golpecito amistoso bajo la barbilla. Después se volvió hacia Yoshi para preguntarle—: ¿Te apetece acompañar a este *ojisan* a una pequeña fiesta de bienvenida a

Estados Unidos? Nada especial, unos bolos y unas bolas de helado.

—¿Cómo se juega a las bolas de lado? —preguntó Yoshi—. ¿Es parecido a los bolos?

Todos nos reímos al oírlo, incluido Papá Pete.

—Estoy viendo que tú y yo nos vamos a reír mucho juntos, muchacho —comentó, y entonces hizo lo que sabía que iba a hacer.

Se acercó a él y le dio un buen pellizco en la mejilla. Yoshi se quedó un poco sorprendido, pero creo que le gustó. A todo el mundo le cae bien Papá Pete. Es el abuelo más simpático, divertido y listo del mundo entero.

Empezamos a bajar por la avenida Ámsterdam en dirección a la bolera de McKelty, que es como la segunda casa de Papá Pete. Es el campeón de los bolos, y también el de los helados. Por cierto, por si os suena lo de McKelty, os diré que la bolera es propiedad del padre de Nick McChinche, que es un señor muy majo. Nadie entiende cómo ha podido salir de esa familia un tonto de remate como su hijo.

—¿Y papá y mamá? —le pregunté a Papá Pete mientras esquivábamos gente por la atestada avenida—. Pensaba que vendrían ellos a recogernos.

—Todavía están en el piso —contestó mi abuelo—. Andan un poco liados.

—¿Haciendo qué?

—A tu madre se le ha metido en la cabeza poner papel nuevo en la pared del baño —respondió—. No sé por qué ha decidido hacerlo precisamente hoy. —Yo sí que lo sabía, pero no dije nada—. Creían que a estas horas ya habrían terminado, pero... —Papá Pete redujo el tono de voz a un susurro— ha habido un pequeño contratiempo con cierta iguana y un bote de cola.

Emily, que tiene un oído prodigioso a la más mínima mención de su iguana, entró en estado de pánico.

—¿Qué le ha pasado a *Catalina*? —preguntó—. ¿Se ha hecho daño?

—*Catalina* está perfectamente —la tranquilizó Papá Pete—. Ha tropezado con el bote de cola y se ha quedado unos minutos pegada al suelo de la cocina, nada más.

—¿Que se ha quedado pegada al suelo? —gritó Emily.

—Se ha despegado en cuanto le hemos mojado las garras con agua. Te aseguro que se ha quedado como antes, solo que ahora no deja de olerse las patas.

Frankie y yo estallamos en carcajadas.

—Vaya, ¿así que te parece gracioso que *Catalina* se haya quedado pegada al suelo? —me reprochó mi hermana.

—No, Emily. —Casi no podía contestar porque me dolía la barriga de tanto reír—. No es que me parezca gracioso. Es que es gracioso.

—Sam, ¿cuándo vas a crecer?

—Dentro de ocho años o así —contesté, llorando de risa.

Sabía que me estaba comportando mal, pero no podía evitarlo. Yoshi fue mucho más considerado que yo. Se acercó a Emily y le dio unas palmaditas en el brazo.

—Me gustaría conocer a tu lagarto —le dijo con voz amable.

—¿De verdad? —repuso ella—. ¡A *Cata* le encantaría!

Mi hermana lucía una sonrisa tan enorme que casi se le veían las muelas. Y además pasó por otra fase de ojos de corderito, lo cual a Robert le sentó como un tiro.

—En realidad, Yoshi, no te lo recomiendo —dijo el Bonsái—. Las iguanas se ponen muy nerviosas con gente desconocida. No creo que le vayas a caer muy bien a *Cata*.

«Hala, el Bonsái se ha enfadado. Hay que ver cómo le afecta el amor a la gente», pensé.

—¡Robert! —le reprendió Emily—. Por supuesto que *Cata* querrá conocer a Yoshi.

—¿Y tú cómo lo sabes? —repliqué—. ¿Es que te lo ha dicho?

—Pues, ya que lo preguntas, sí que tenemos una forma especial de comunicarnos —contestó Emily—. Yo sé lo que ella piensa, y ella sabe lo que yo pienso.

—En realidad, yo también he adquirido cierto dominio de la comunicación con iguanas —dijo Robert. Tenía un gallo bastante molesto al hablar, y necesitaba aclararse la garganta urgentemente.

Pobrecillo. No tuve el valor de decírselo, aunque ya daba igual. Habíamos llegado a la bolera de McKelty, y ya estábamos subiendo la escalera para entrar y ponernos los zapatos especiales para jugar.

Seguramente no os sorprenderá que os diga que Yoshi jugaba muy bien a los bolos. Y deberíais haberle visto también con las máquinas recreativas. ¿Había algo que no hiciera bien? Tenía unos dedos mágicos y una concentración a prueba de bomba. Yo casi nunca juego a las máquinas porque mi mente siempre se dispersa y así no hay quien gane.

Después de jugar, Papá Pete nos invitó a todos a helados y granizados. Yoshi dijo que el granizado de cola era lo más rico que había probado nunca, tan bueno como las enchiladas.

Cuando nos terminamos los helados, antes de irnos, Papá Pete nos dejó echar una partida de hockey de mesa. Y adivinad quién apareció cuando Yoshi y yo estábamos jugando y Frankie miraba. Os daré una pista: aliento de vómito de huevos podridos.

Correcto: Nick McChinche. Suele rondar por allí porque, claro, es la bolera de su padre.

—Reto al ganador —dijo, apoyando sus codos llenos de sarpullidos sobre la mesa.

—Lo siento, Nick —repuse—, tenemos que irnos después de esta partida.

—¿A qué viene tanta prisa?

—Mi abuelo va a llevarnos al Gristediano.

—¡Al supermercado! —se mofó—. Qué marcha tiene la familia Zipper. ¿Y qué vais a hacer después? ¿Llevar a Yoshi a la lavandería para que conozca todos los jabones? ¿O tirar la casa por la ventana y llevar unos zapatos rotos al zapatero?

«¿Por qué nunca se puede tener una conversación normal con este tío? ¿Es que tiene que estar siempre metiéndose con los demás?», me dije.

—Para que lo sepas, colega —terció Frankie—, vamos a comprar los ingredientes para preparar enchiladas, y mañana las llevaremos al banquete del Día de las Culturas.

—Ah, ¿sí? —dijo Nick—. Pues esperad a ver los hojaldritos de salchicha que voy a llevar yo. Serán mil veces mejores.

—¿Hojaldritos de salchicha? —preguntó Frankie—. Eso es como un perrito caliente, pero metido en masa de hojaldre, ¿no?

—Es mucho más que un perrito caliente, Frankenstein. Llevan unas salchichas especiales. Mi padre las trajo de...

Nick se paró un momento. Casi se oía cómo chirriaba su lento cerebro en busca de una trola que esperaba que nos tragáramos. Pero Frankie no le dio esa oportunidad.

—No me lo digas, colega —le interrumpió—. Tu padre las trajo de la corte del gran rey de

Frankfurt, al que conoció en el palco del estadio de los Knicks, justo el día antes de que le invitaran a la Casa Blanca para que le diera unas lecciones de bolos al presidente.

—¿Cómo lo sabes? —dijo Nick.

Todos nos reímos, incluido Yoshi. No creo que entendiera todo lo que estábamos diciendo, pero seguro que se hizo una idea de cómo era Nick. Un estúpido sigue siendo un estúpido en cualquier idioma.

—Lo que hay que llevar mañana son platos de otros países —le indicó Robert a McChinche—. Por eso se llama Día de las Culturas.

—¿Y qué quieres decir con eso? —preguntó Nick.

—Lo que quiere decir es que los hojaldritos de salchicha no son de otro país —le expliqué.

—Sí que lo son —dijo McChinche—. Son de Kansas.

—Siento ser yo quien te lo diga, muchachote, pero Kansas no es otro país —comentó Frankie.

—Ya lo sabía —gruñó Nick—. Solo quería comprobar que vosotros también lo sabíais.

—Sí, qué risa, y yo soy poetisa —contestó Frankie.

Yoshi se parte cada vez que le oye decir eso. Yo eché una ojeada rápida a McChinche solo para verle la cara, pero en esa fracción de segundo, Yoshi lanzó el disco de hockey hacia mí y marcó el gol de la victoria.

—¡Dispara y anota! —gritó.

—¿Dónde has aprendido a decir eso? —le pregunté.

—En el juego de hockey de la PlayStation —contestó él, encogiéndose de hombros.

Para que luego digan que los videojuegos no son educativos.

CAPÍTULO 12

Papá Pete dice que nunca hay que ir al súper sin la lista de la compra, así que mientras él se despedía de sus amigos de la bolera, decidimos seguir su consejo y Frankie, Yoshi y yo nos sentamos a hacer una lista de lo que íbamos a necesitar para preparar las enchiladas. Robert y Emily no quisieron participar. Cuando leáis la lista, sabréis por qué.

NUESTRA LISTA DE LA COMPRA

Sam Zipper, Frankie Townsend y Yoshi Morimoto

1. Comprar todo lo que necesitamos para preparar las enchiladas.

2. Ojalá supiéramos con qué se hacen, pero no tenemos ni idea.

3. Bueno, un poco de idea sí que tenemos: sabemos que no llevan ni coliflor ni pulpo.

4. ¡Enchiladas de queso y pulpo! ¡Qué requeteporquería!

5. ¡Socorro!

6. ¡Nos hemos quedado atascados con la lista y no sabemos cómo seguir!

7. ¿Cómo voy a saber lo que llevan las enchiladas? ¡Soy japonés!

8. ¡Las enchiladas tienen que estar «en-chupadas»! Ya lo veremos sobre la marcha.

Sí, no hace falta que me lo digáis, es una lista muy tonta, pero en su momento fue muy divertido hacerla, aunque tendríais que haber estado allí para entenderlo.

Emily dijo que parecíamos bobos. Robert dijo que parecíamos unos críos. Pero yo os digo una cosa: solo tenemos diez años, y de vez en cuando se nos tiene que permitir hacer el loco. ¿O no?

CAPÍTULO 13

Papá Pete es una persona muy especial, y os diré por qué. Cogió la lista y la leyó de arriba abajo. No comentó nada de si era tonta o boba y se limitó a decir:

—Venga, chicos, pongámonos en marcha. Tenemos un montón de *enchupadas* que hacer.

Mi abuelo es un cocinero de primera. Fue él quien montó el Pepinillo Crujiente, y lo dirigió toda su vida hasta que se jubiló y se lo pasó a mi madre hace un par de años. Casi todo lo que se sirve allí está basado en sus recetas: ensalada de patata, ensalada de lombarda, sándwiches de pastrami con mayonesa y pepinillos, sándwiches de atún con queso cheddar, sopa de judías negras con nata agria… Todo está delicioso, excepto los inventos de mi madre. Ella dice que quiere crear la comida sana del siglo veintiuno, pero lo que yo pienso es que debería dejarla como estaba en el veinte, cuando cocinaba mi abuelo.

Papá Pete nos dijo que él sabía lo que llevaban las enchiladas y yo me fie completamente de su palabra. Todo lo que mi abuelo prepara sale delicioso.

Nos fuimos andando al Gristediano y recorrimos los pasillos del supermercado con un carrito. Papá Pete iba cantando los ingredientes de la enchilada y nosotros corríamos por las distintas secciones en su busca. Cogimos tortillas de maíz, tomate triturado, queso, ajo, una lata de jalapeños y nata para cocinar. Después, Papá Pete nos llevó a la sección de las especias.

—Y ahora, un poco de vidilla —dijo, señalando las filas de botes que yo me puse a mirar con interés. Había *curry*, salvia, perejil seco y canela, pero no vi ningún bote de «vidilla».

Papá Pete, mientras tanto, pasó un dedo por encima de los frasquitos hasta pararse en uno cuya etiqueta decía: «Cayena molida». Contenía un polvo rojo oscuro.

—Esto es lo que hace falta para dar un poco de vidilla a las enchiladas —afirmó, metiendo el bote en el carrito.

—Yo no sé lo que es «vidilla» —comentó Yoshi.

—Vidilla es lo que hace que te salga pelo en el pecho —contestó Papá Pete.

—¡Qué horror! ¿Quién quiere eso? —exclamó Emily.

—Es una forma de hablar, mi querida nieta —dijo Papá Pete—. Me refiero al tipo de comida que pega fuerte. Que te despierta las papilas gustativas. Que da un poco de chispa a la vida. Que te explota en la lengua.

—Como el *wasabi* —comentó Yoshi.

—Eso es —replicó mi abuelo, levantando el dedo en alto como el profesor chiflado que vi una vez en una peli—. Tú ya has probado el *wasabi*, Sammy. ¿Recuerdas esa pasta verde y picante que comiste en el Planet Sushi?

—¡Ah, eso!

¿Cómo podría no recordarlo? Una noche, nuestra familia fue a cenar a un restaurante japonés de la avenida Columbus para celebrar el cumpleaños de mi tía Maxine. Los adultos pidieron una gran bandeja de *sushi*, aunque yo no soy un gran fan del pescado crudo. En una esquina de la bandeja había un montoncito de una pasta que parecía guacamole. A mí me encanta el guacamole, así que agarré un palillo y con la punta cogí una pizca. No olía a nada raro, así que ni corto ni perezoso me la metí en la boca. Para que os hagáis una idea, en el momento en que la pasta entró en contacto con mi lengua, creí que me iba a explotar la cara. Esa pizquita de pasta verde picaba tanto que no me habría extrañado que la nariz se me despegara de la cara y se fuera corriendo hasta Central Park para refrescarse en el estanque.

—Pues por poco que esta cosa se parezca al *wasabi*, quizá lo mejor sea dejar lo de la vidilla para otro momento —dije, mirando el bote de cayena del carrito.

—Sammy, abre la mente —contestó Papá Pete—. Las enchiladas tienen que llevar una pizca de picante. Si no, ya no serían enchiladas.

—Querrás decir *enchupadas* —apuntó Frankie, y todos nos partimos de risa, incluso mi abuelo.

Todavía nos estábamos riendo cuando salimos del supermercado para volver a casa.

CAPÍTULO 14

Mi madre debió de avisar a todo el edificio de que íbamos a tener un invitado especial, porque cuando doblamos la esquina vi a casi todo el vecindario esperando en la entrada para saludar a Yoshi. Había tanta gente que por un momento pensé que querían dar la bienvenida al presidente de Japón, y no a un chaval de diez años como yo.

Allí estaban los padres de Frankie, y también los de Ashley. Su abuela, que vive con ellos, llevaba en las manos una bandeja de empanadillas de cerdo al vapor. Seguramente habría pensado que necesitaríamos un plan B en caso de que mi madre hubiera preparado uno de sus habituales experimentos rellenos de sucedáneo de atún bajo en calorías y en sabor. «¡Bien pensado, abuela Wong!».

Cuando ya estábamos más cerca de nuestro edificio, distinguí a la señora Park, que vive en el cuarto piso, gritándole al señor Grasso, que vive justo encima de ella, en el quinto. Ella siempre se queja de que su vecino pone la tele muy alta por las noches. El pequeño Tyler, que vive con su madre, la señora King, en el mismo piso que nosotros, llevaba puesto su pijama de Spiderman y sus zapatillas de Elmo. Me encanta ver a los niños pequeños en pijama. Son muy achuchables, como crías de koala. Bueno, no es que haya achuchado a ninguna, pero me gustaría.

Mis padres también estaban allí, saludándonos desde lejos como locos. También vi a la señora Fink, que vive justo a nuestro lado. Me cae bien, aunque casi nunca lleva puesta su dentadura postiza y se le ven las encías cada vez que sonríe. Está bastante pillada por Papá Pete, aunque él no está nada pillado por ella. Yo creo que es por ese problemilla de la falta de dentadura.

—¡Peter! —llamó la señora Fink a mi abuelo cuando nos vio llegar—. ¡Estoy aquí!

Papá Pete me pasó la bolsa de la compra y me dijo:

—Lleva tú esto, Sammy. Yo me largo antes de que me invite a su bizcocho con semillas de amapola. Todo lo que prepara le sale mal.

—No te vayas —le pedí—. Tienes que ayudarnos a preparar las enchiladas.

—Sammy —replicó Papá Pete, tomándome la cara entre sus manos—, por ti iría a la luna. Cogería una estrella del cielo. Pescaría una ballena con los dientes. Pero, sintiéndolo con toda mi alma, no puedo pasar ni una tarde más viendo cómo la señora Fink mastica con las encías un bizcocho con semillas de amapola.

—Míralo por el lado bueno, Papá Pete —repuso Frankie—: al menos las semillas no se le quedan pegadas entre los dientes…

—Esta vez necesito que me apoyéis, muchachos —nos dijo mi abuelo—. Ya tenéis los ingredientes. Y estoy seguro de que sabréis encontrar la receta de las enchiladas de queso en alguna parte.

—Mamá tiene cientos de libros de cocina —dijo Emily.

—No, me refería a las de queso normal, no a las de queso de soja —replicó Papá Pete—. A lo mejor podéis mirar en Internet.

—A mí se me da muy bien encontrar información en Internet —terció Robert, hinchando su esmirriado pecho delante de Emily, que no le quitaba los ojos de encima a Yoshi.

—Nos las apañaremos, Papá Pete —dijo Emily. Claro, como ella no era la que tenía que llevar las enchiladas para que las probara toda la clase…

—Eso sí, tened cuidado de que vuestra madre no eche habitas chinas cuando no estéis mirando —nos advirtió Papá Pete.

Mientras tanto, la señora Fink se había sacado un pañuelo blanco de la manga y lo agitaba hacia mi abuelo, que respondió con una gran actuación de mimo, señalándose el reloj como si le esperaran en algún sitio y ya llegara muy tarde. Acto seguido, nos dio un beso a Emily y a mí en la cabeza, y un pellizco a Frankie, Yoshi e incluso al asombroso niño sin mejillas, Robert. Y, rápido como el rayo, se alejó por la avenida Ámsterdam.

—Cómo mola *ojisan* —dijo Yoshi—. Me encanta tu familia, Sam.

Al oírlo, Emily le dirigió la misma sonrisa de boba que había tenido todo el rato en la cara.

—No te emociones demasiado —le susurré—. No creo que esté refiriéndose a ti.

—¿Y tú qué sabes? —me espetó.

—Los de cuarto sabemos de esas cosas.

—¡Eso! —saltó Robert, cuya voz nasal se oía muy quebrada—. Las sabemos muy bien.

—Para el carro, chavalín —le dijo Frankie entonces—. Tú todavía vas a tercero.

—Pero no por mucho tiempo —contestó él, y en eso había que darle la razón.

En ese momento, *Rosco*, que estaba atado con correa al lado de mi padre, nos vio y se volvió completamente loco (aunque no tuvo que esforzarse mucho porque ya está bastante loco de por sí, la verdad): dio tantas vueltas en torno a las piernas de mi padre, que este acabó como una momia egipcia.

Mi madre tuvo que deshacer el lío para liberar a mi padre, y entonces *Rosco* salió disparado hacia nosotros. Olisqueó a Yoshi y luego empezó a mordisquearle los tobillos. Siempre hace eso cuando alguien le ha caído bien. Yoshi se agachó para acariciarle, y él empezó a lamerle la cara, como si le hubiera tomado por una galleta de perro con sabor a hígado. Si la señora Adolf hubiese visto a mi querido perro con Yoshi, habría retirado eso de que era peligroso. Sin lugar a dudas, es el perro más tierno que haya caminado sobre la faz de la Tierra.

Finalmente, después de saludar a todos los vecinos del edificio, pudimos meternos en el ascensor y subir hasta la décima planta, que es donde vivimos. Mi madre abrió la puerta del piso y todos entramos en el salón. Bueno, todos menos Yoshi. Asomé la cabeza por el pasillo y le vi sentado en el suelo, quitándose los zapatos.

—¿Se te han manchado de barro o algo? —le pregunté.

—En Japón nos quitamos los zapatos antes de entrar en cualquier casa —respondió—. Es una muestra de respeto.

Vaya, ese comentario hizo que me sintiera un poco ignorante desde el punto de vista multicultural, aunque tampoco tuve tiempo de avergonzarme demasiado. La familia Zipper se había puesto en acción, y de qué manera. Todos reclamaban la atención de Yoshi, y empezaron a tirar de él en todas direcciones.

El primero en pillarle por banda fue mi padre, que le enseñó su colección de portaminas.

—*Ikiru* —dijo Yoshi, tocando educadamente un par de los lápices plateados.

Eso arrancó una gran sonrisa a mi padre, que repitió:

—¡*Ikiru*! Palabra de cinco letras que significa «muy bueno». Eso estaba en el crucigrama de la semana pasada, y no pude completarlo. ¡Gracias, Yoshi!

En el mundo de Stanley Zipper no puede haber alegría más grande.

Mientras mi padre le hacía una demostración de cómo se recarga un lápiz portaminas, mi madre no dejó de interrumpirle.

—Puedes usar el baño siempre que quieras —le dijo a Yoshi un millón de veces.

Y es que quería que nuestro invitado viera el nuevo papel pintado, del que se sentía muy orgullosa: era amarillo y tenía pagodas verdes.

Un poco después, Emily arrastró a Yoshi hasta su habitación para que conociera a *Catalina*, que no le soltó ni un bufido. De hecho, tampoco le dirigió ni una mirada. Creo que la pobre *Cata* todavía estaba recuperándose del susto de haberse quedado pegada al suelo de la cocina. Una experiencia como esa tiene que afectarte, aunque seas una forma de vida inferior.

Para acabar de rematar el día, mi madre hizo una cena perfecta. Aunque eso es porque en realidad no la había hecho ella, sino que se la había traído de la tienda. Vladi había preparado un surtido de sándwiches de muchos pisos para nosotros, de rosbif, pastrami, pollo con mayonesa y pavo con queso emmental. Había suficientes para invitar también a Frankie, Ashley y Robert.

—¿Qué vais a hacer después de cenar? —nos preguntó mi madre.

—Los deberes —contesté.

—Debo de estar soñando —dijo Emily—. Mi hermano Sam quiere hacer los deberes. Imposible.

—A lo mejor Sam quiere hacer borrón y cuenta nueva —comentó mi padre, al que le encanta esa expresión. Cada vez que tengo alguna nota muy, muy mala en el boletín, como un insuficiente (o sea, siempre), me dice que ya es hora de hacer borrón y cuenta nueva. Pero llevo ya tantos borrones en mis cuentas que he perdido la cuenta de los borrones.

—Vamos a preparar enchiladas —les anuncié a todos los presentes.

—Pero ¡si acabas de decir que ibas a hacer los deberes! —señaló mi padre.

—Es que esos son los deberes, papá. Tenemos que llevar un plato especial para el banquete del Día de las Culturas, y nuestro grupo ha decidido hacer enchiladas.

—Uy, yo tengo una receta riquísima de enchiladas con habitas chinas —dijo mi madre.

En aquel momento yo estaba tomando un sorbo de zumo de manzana, y en cuanto oí las palabras «habitas chinas», solté una carcajada y rocié de zumo la camisa blanca del pobre Robert. Aunque también manché algunos de los mantelillos nuevos, nadie se enfadó conmigo, ni siquiera mi padre. Todos estábamos de muy buen humor. De hecho, si en aquel momento hubieseis estado escuchando junto a la puerta de nuestro piso, no habríais oído más que risas.

Ah, sí, y también a mi madre diciendo: «Puedes usar el baño siempre que quieras, Yoshi».

CAPÍTULO 15

No tardamos mucho en encontrar una receta de enchiladas. Robert dio con un blog que tenía setenta y dos. Elegimos las «enchiladas de queso de rechupete de Mamá Vita». Era la receta número sesenta y siete del blog *Recetas de rechupete de Mamá Vita*, y estaba entre los burritos de gambas de rechupete y la sopa de frijoles pintos de rechupete.

Después de decidir qué receta íbamos a hacer, la imprimimos y llamamos a Papá Pete. Él comentó que tenía buena pinta, así que ya teníamos luz verde para empezar. Mi madre nos dijo que podíamos quedarnos solos en la cocina con la condición de que la llamáramos cuando tuviéramos que encender el fuego.

—Yo sé dónde están las cacerolas y las sartenes —comentó Emily, que para impresionar a Yoshi hizo como si se pasara la vida cocinando.

Empezamos rebuscando en los armarios. Yo saqué una sartén y la dejé en el suelo, pero el pobre Robert metió el pie en ella y se puso a patinar por la cocina como si estuviera haciendo *snowboard*. En esas estaba cuando le pegó un empujón a Frankie, que intentaba alcanzar otro cacharro.

—¡Atención todos! —exclamó entonces Ashley, cogiendo una cuchara de madera y dando unos golpes en la encimera, como si fuera un juez en un tribunal—. Esto se está desmadrando. Tenemos que organizarnos.

Ashley es una fiera de la organización. Frankie, ella y yo tenemos un grupo de magia que se llama Abrakadabra 3. Frankie es el mago y a Ashley la nombramos nuestra representante. Es una de las mejores decisiones que podíamos haber tomado. Nos representa tan bien que ya nos ha conseguido unos beneficios totales de 58,60 dólares. ¡Y eso que todavía somos estudiantes de cuarto!

—Para empezar, no puede ser que todos hagan lo mismo —apuntó.

—¡Bien pensado, Ashwina! —asintió Frankie—. Yo me encargo de reunir los ingredientes.

—Vale. Sam, tú léele la receta a Frankie y dile lo que vamos a necesitar.

—Haré lo que pueda —repliqué.

No se puede decir que fuera la tarea más indicada para mí, ya que leer no es mi fuerte precisamente, pero tampoco quise proclamarlo delante de Yoshi.

—¿Y yo qué hago? —preguntó Robert.

—Desaparecer —propuso Frankie.

—Vale. De todos modos, yo todavía estoy en tercero —dijo el Bonsái, y se fue al salón para ayudar a mi padre a resolver un crucigrama.

—Emily, tú y Yoshi seréis los ayudantes de cocina —propuso Ashley.

Por regla general, Emily se habría puesto como una furia por tener que conformarse con ser ayudante de algo, pero con tal de estar con Yoshi le daba todo igual.

Me alegró ver que Ashley volvía a ser ella misma: con una chica enamorada en la cocina teníamos más que suficiente, la verdad. Supongo que mi amiga había visto lo boba que parecía Emily cuando miraba a Yoshi con ojos de corderito y había decidido dejarlo correr. Menos mal que Ashley no es muy dada a poner ojos de corderito…

—¿Y tú qué vas a hacer, Ash? —le preguntó Frankie—. No irás a quedarte ahí parada dando órdenes, ¿no?

—Yo voy a ser la directora.

Dicho esto, desapareció por la puerta batiente de la cocina y volvió un segundo después con la cámara de vídeo de su padre.

—Les habla Ashley Wong, retransmitiendo para el Canal de Cocina Zipper —dijo tras encender la cámara—. Nuestro invitado especial de hoy es Yoshi Morimoto. Yoshi, ¿te apetece decirles algo a tus amigos de Japón?

—¡Dabuten! —exclamó Yoshi, sonriendo a la cámara.

—Gracias por tus sabias palabras —dijo Ashley.

—Ash, ¿por qué estás grabando esto? —le pregunté.

—Queremos que Yoshi se acuerde de nosotros, ¿verdad? Pues con este vídeo podrá vernos siempre que quiera.

¿Veis por qué os decía que Ashley es tan buena organizando cosas? Piensa en todo, incluso antes de que ocurra. Ojalá yo supiera hacer eso.

—Venga, ya estoy listo para el partido —dijo Frankie—. Suéltame todo lo que tengas, Zipilipi.

—En cristiano, Frankilipi.

—Léeme los ingredientes, colega. Me veo capaz de cocinar para un país entero —replicó mi amigo, y yo coloqué la receta en la encimera, apoyándola entre dos latas de tomate triturado y un bote de pepinillos de Papá Pete.

—Doce tortillas mexicanas —anuncié, leyendo el primer ingrediente de la lista.

En honor a la verdad he de decir que no pude leer la palabra «tortilla», pero había una foto de las manos de Mamá Vita enrollando una cosa que parecía una tortilla mexicana, así que supuse que esa sería la palabra. Es un truco que hago mucho cuando no puedo leer algo. Vosotros diréis que es probar suerte, pero yo prefiero llamarlo deducir. Adivinar una palabra me ahorra la vergüenza de tener que preguntarle a alguien. Y, ya que hablamos del tema, ¿«tortilla mexicana» no debería escribirse *tortiya mejicana*? ¿Por qué las cosas no se escriben como suenan?

—Doce tortillas mexicanas marchando —dijo Frankie mientras abría la bolsa de plástico y dejaba las tortillas de maíz sobre la encimera.

—Tres tazas de queso rallado —continué.

—Eso es..., ¡queso!, por supuesto —dijo Frankie—. Marchando.

Emily tardó un rato en rallar todo el queso. Cada dos segundos decía: «Ay, me he rascado los nudillos. Ay, me los he vuelto a rascar». Cuando por fin hubo terminado, Frankie metió un puñado de queso en cada tortilla. Yoshi y Emily le ayudaron a enrollarlas de forma que quedaran bien rellenas.

—¿Qué viene ahora? —preguntó Frankie.

—Una lata de tomate triturado —contesté.

—Marchando —repuso Frankie, y le pasó a Yoshi el tomate triturado y el abrelatas.

—Al ataque, Yoshimán —le dijo.

—Marchando, Frankie-*san* —respondió Yoshi.

—Emily, deja de comerte a Yoshi con los ojos y mira a la cámara —le ordenó entonces Ashley—. Di algo que quieras que Yoshi recuerde.

Emily se llevó una mano a la boca y soltó una risilla de emoción. Creo que nunca la había oído reír así. O sí, pero solo una vez, en la tienda de animales, cuando George, que trabaja allí, le dijo que le diera de comer a la serpiente un ratón vivo. Así es, amigos, esas cosas son las que hacen reír de emoción a mi hermana.

—¿Y ahora, Zip?

—Cayena en polvo. Hay que mezclarla con el tomate triturado.

—Ah, sí, para darle vidilla —dijo Frankie—. ¿Cuánta hay que echarle, amigo mío?

Volví a mirar la hoja de la receta. Estaba llena de palabras, y la cayena en polvo aparecía al final de una larga lista de ingredientes.

«Veamos… ¿Será eso una fracción? Por favor, que no sea una fracción. Con lo mal que se me dan las fracciones», pensé, y en ese instante Ashley me enfocó con la cámara y sugirió:

—Adelante, Sam, díselo a la cámara con esa gracia inconfundible que tienes. ¿Cuánta cayena hay que echarle?

—Pues..., a ver... —repliqué, forzando la vista.

Me estaba agobiando por momentos, así que me concentré en los números que se veían al lado de las palabras «cayena en polvo». Había un 1 y un 3 y una fina línea negra flotando entre ambos. Pero me estaba poniendo nervioso, que es lo que me pasa cuando no sé qué debo hacer, y las letras empezaban a nadar por la página como si tuvieran voluntad propia.

«A lo mejor ni siquiera es una fracción. Igual esa línea es solo un borrón en el papel. O un bichito que pasaba por ahí y acabó aplastado».

—¿Cuánta cayena, colega? —oí decir a Frankie—. El tomate empieza a sentirse un poco solo.

Levanté la vista y comprobé que la cámara me apuntaba.

—No te cortes, Sam. ¡Estamos rodando! —exclamó Ashley.

Yoshi se iba a llevar aquella película a Japón. La vería con todos sus amigos. ¿Y qué verían en ella? A mí, Sam Zipper, el tonto de turno. Me verían cometiendo un estúpido error con una estúpida fracción porque soy demasiado estúpido para ver cuánta cayena necesitábamos.

«No me hagas esto, cerebro. ¡Arranca! ¡Ponte en marcha! ¿Cuánta cayena? Solo tienes que leer ese número. Por favor, ¡no me dejes tirado!», pensé, pero mi cabeza no me daba soluciones. No quería que Yoshi me recordara como el chico que tuvo que preguntar qué es una fracción, pero no me quedaba más remedio que hacerlo.

Miré a la cámara y ya estaba a punto de hablar cuando...

—¡Cuidado! —gritó Emily.

Su voz me devolvió a la realidad de sopetón. Me sobresalté tanto que creí que haría un agujero en el techo con la cabeza.

—¿Qué? ¿Cuidado con qué? —chillé.

—¡Con *Cata*! ¡La tienes debajo de los pies!

Bajé la vista y, en efecto, *Catalina*, nuestro lagarto favorito, se había recuperado y ya estaba recorriendo la cocina a toda velocidad en dirección al armario de las ollas y las sartenes.

—¡Toma ya, una escena de acción! —dijo Ashley, apartando la cámara de vídeo de mí para dirigirla hacia *Catalina*.

La iguana en cuestión se zambulló en el interior del armario y empezó a dar golpes entre las ollas de hervir la pasta. Pero al parecer la cocina italiana no es lo suyo, porque en cuestión de segundos salió pitando de allí. Para mí que se había visto reflejada en una de las ollas y se había dado un susto de muerte. Correteó a toda pastilla por el suelo, lanzándose de la nevera al fuego, y luego otra vez a la nevera. Seguro que estaba recordando el trauma del pegamento, porque os aseguro que no sabía que un lagarto pudiera acelerarse tanto.

Emily echó a correr detrás de ella, agitando los brazos mientras la perseguía por toda la cocina. Ashley las siguió cámara en mano.

—¡Y ahora una escena de persecución! —exclamó—. ¡El sueño de cualquier director!

Aquella era mi oportunidad. Ya no tenía la cámara encima y nadie me estaba mirando. Agarré una cuchara, cogí el bote de cayena y miré de nuevo la receta. ¿Qué era lo que decía? ¡A lo mejor esta vez lo entendería mejor!

«¿Son tres cucharadas? ¿O una tercera parte de una cucharada? ¿O tres terceras partes? ¿O treinta y tres milésimas partes?».

Metí la cuchara hasta el fondo del bote y saqué una montañita de polvo. Eché la especia roja en el tomate y, por si acaso con eso no bastaba, le eché otra cucharada llena hasta arriba. Después le añadí unos pellizcos más con los dedos, como he visto que hace siempre mi madre.

«Hala, seguro que así está bien. No sé cuánto le habré echado, pero es algo parecido a un tres. Más o menos será eso», pensé.

Para entonces, *Catalina* había vuelto a meterse en el armario y se había refugiado detrás de la sartén de las tortillas. Emily se echó a llorar.

—No tengas miedo, *Cata* —decía—. Ven con tu mami.

Pero *Catalina* parecía sin aliento. Se quedó quieta, mirándonos fijamente con sus ojos como canicas. Cuando Emily intentó cogerla, el bicho sacó la lengua y siseó. No se mostraba dispuesta a salir de allí en un futuro próximo, se lo pidiera quien se lo pidiera, la verdad.

Hasta que de pronto apareció el Bonsái.

Nuestro inseparable amigo había entrado en la cocina con mis padres al oír todo aquel barullo.

—Dejad que lo intente yo —dijo—. Tengo mucha afinidad con los reptiles.

Robert se puso a gatas delante de *Catalina* y le sacó la lengua, y os aseguro que los dos eran calcados. Con la diferencia de que él no tiene cola. Al menos, que yo sepa.

Robert y *Catalina* siguieron con su estrambótica forma de comunicación durante un rato que se me hizo más largo de la cuenta. Entonces, él empezó a emitir extraños sonidos con la garganta. Sonidos de iguana.

—Cu-ru-ca-ca-shuu.

«¿Qué querrá decir eso? ¿Sal de ahí ahora mismo, bicho escamoso?», pensé.

Catalina guiñó los ojos y se quedó mirando a Robert. De hecho, todos nos quedamos mirando a Robert. Sobre todo Yoshi. Ojalá no pensara que aquello era una típica velada en una típica familia estadounidense. Incluso para la familia Zipper, aquello era algo fuera de lo común.

—Cu-ru-ca-ca-shuu —repitió Robert en voz baja, y sacó la lengua un par de veces más.

Entonces, poco a poco, metió una mano en el armario y sacó de allí a *Catalina*. Ella no se resistió. Se la veía la mar de tranquila mientras se acurrucaba en el huesudo pecho de Robert. A lo mejor creía que estaba arrimada a las raíces de un... bonsái.

—Ya está a salvo —le susurró Robert a Emily.

—¡Oh, Robert! —suspiró ella—. ¡La has salvado! ¡Eres mi ídolo!

Mi hermana estaba tan contenta que se acercó a él y le dio un beso. No os lo describiré porque para qué voy a asquearos. Bastante tengo con haberlo visto con mis propios ojos. Pero sí que os diré una cosa: Robert se puso completamente colorado, desde las orejas hasta la punta de los dedos. Estaba tan rojo como..., bueno, como la cayena en polvo.

Todavía con *Catalina* en brazos, Robert se puso en pie y anunció:

—Iré a meterla en su jaula. Ha pasado un rato muy malo.

Cuando el Bonsái y la iguana salieron de la cocina acompañados por mi hermana, los tres parecían flotar en una nube. Ellos solos se bastaban: un chico, una chica y un reptil agradecido.

Eché un vistazo a Yoshi, que me sonrió con los pulgares hacia arriba: era evidente que se había quitado un peso de encima. Normal, ¿cómo os sentiríais si mi hermana Emily se hubiera acaramelado con vosotros y se hubiera desacaramelado de pronto? Se había desacaramelado tanto que no sé cómo no le dio un bajón de azúcar.

CAPÍTULO 16

—No me puedo creer que tenga todo eso grabado —dijo Ashley—. Después de ese beso de película, el programa de cocina va a parecer una sosería.

—¿Y si decidimos no hablar de esto nunca más? —protesté.

—Estoy contigo, Zipilipi —me apoyó Frankie—. Hay cosas que es mejor olvidarlas, y yo no voy a esperar ni un segundo a expulsar de mi cerebro el recuerdo de eso que empieza por *b*. En fin, ¿por dónde íbamos?

—Por la vidilla —contestó Yoshi.

—Bien dicho, Yoshimán —repuso Frankie—. Sam estaba a punto de decirme la cantidad de cayena que había que echar en el tomate.

—Ya la he echado —dije, dándole las gracias a *Catalina* en mi interior por haberme sacado de aquel apuro.

—¿Y cuánta has puesto? —me preguntó Frankie.

—La cantidad justa. La cantidad perfecta, vamos. Más perfecta, imposible.

—¿Y cuánta era? —insistió Ashley—. No es que no nos fiemos de ti, Sam, pero...

—Oye, ¿te digo yo cómo tienes que grabar el vídeo?

—No.

—Pues entonces no me digas tú cómo tengo que hacer las enchiladas.

—Vale, tú mismo —dijo Ashley, encogiéndose de hombros.

Ya solo me quedaba confiar en que lo que esperaba que fuera la cantidad justa fuera de verdad la cantidad justa.

CAPÍTULO 17

Papá Pete me llamó a primera hora de la mañana siguiente.

—Hoy iré a recogerte para llevarte al colegio.
Tu madre me ha dicho que habéis preparado una
gran fuente de enchiladas, y seguramente pesará
mucho.

—Pero, Papá Pete, si no tienes coche... —le
recordé.

—¿Y tú crees que algo así es un obstáculo para
mí? —dijo, y colgó.

Le esperamos en la puerta del edificio. Frankie
me sujetaba la mochila mientras Yoshi y yo soste-
níamos la fuente de enchiladas. Robert y Emily
también estaban allí, mirándose con ojos de corderito. Pocos minutos después, una larga limusina negra se paró delante del portal. No podía
ver quién iba dentro porque los cristales estaban

ahumados, y pensé que seguramente sería alguna estrella de cine. O eso, o un jugador de los Mets. Pero me equivoqué.

¡Era Papá Pete! Mi abuelo es una caja de sorpresas.

Cuando bajó la ventanilla del acompañante y nos preguntó si queríamos subir, a Yoshi por poco se le salieron los ojos de las órbitas. Bueno, y a mí también. ¡Nunca jamás me había subido en una limusina!

—Os presento a Dave Waxman —empezó Papá Pete, dando una palmadita en la espalda del chófer—. Es el segundo mejor boleador de los Filetes de Pavo, después de un servidor. —El equipo de bolos de mi abuelo se llama así, Filetes de Pavo. Son los campeones de la liga de la bolera de McKelty—. Cuando le hablé a Dave de Yoshi, se ofreció enseguida a darle una vuelta en su pequeña tartana.

—Gracias, *ojisan* —dijo Yoshi—. Y gracias también a usted, Waxman-*san*.

—Es un placer, hijo —le contestó Dave—. Hala, entrad.

Todos nos subimos por la puerta de atrás. En el interior de la limusina había un teléfono y luces

de neón, y unos suaves asientos de piel que parecían de mantequilla. Había tanto espacio dentro que hasta se podía jugar al escondite, cosa que, por cierto, hicimos. Si alguna vez tenéis la oportunidad de subiros en una limusina, os recomiendo a muerte que juguéis al escondite dentro.

—En este coche no me importaría viajar hasta Japón —comentó Ashley.

—En realidad no podrías hacerlo porque Japón es... —replicó Robert después de aclararse la garganta.

—Ya lo sabemos, Robert —protestamos todos al unísono—: un país insular rodeado de agua.

—Colega, ¿es que no puedes hablar de otra cosa? —le preguntó Frankie.

—Ya que lo preguntas, podría hablar de la iguana rayada de Costa Rica. Es el reptil más veloz del planeta, y puede correr a treinta y cinco kilómetros por hora.

—Ay, Robert, cuántas cosas sabes —repuso la rarita de mi hermana. ¡Vaya dos, ella y el Bonsái!

De casa al colegio hay solo seis manzanas, y fue una pena que el viaje durara tan poco. Cuando nos paramos delante, vimos al padre de Yoshi en los escalones de entrada, hablando con la señora

Adolf. ¡Qué cara se les puso cuando nos vieron salir de aquel coche!

Yoshi dio un fuerte abrazo a su padre y empezó a hablarle en japonés sin parar. Deseé que estuviera contándole lo del paseo en limusina y no lo del ataque de nervios de *Cata* en la cocina. Entonces la señora Adolf me dirigió una de sus miradas más agrias y mientras la limusina se alejaba me dijo:

—¿A qué se debe ese vehículo? ¡Qué extravagancia!

—Hummmm..., ¿a qué se debe? —reflexioné—. Pues a que es una forma divertida de ir a un sitio.

—No me parece apropiado, Samuel. No permitiré que mis alumnos vayan haciendo el loco por ahí solo porque les parece... divertido.

Nunca pensé que la palabra «divertido» pudiera sonar tan poco..., en fin, divertida, así que decidí pasar a un tema que probablemente le gustaría más.

—Hemos preparado enchiladas para el banquete multicultural —dije, poniéndole la fuente debajo de las narices, pero ella la miró como si estuviera llena de gusanos.

—Llevan mucho queso, ¿no? ¿Son picantes?

—Tienen un poco de vidilla —contestó Ashley.

—Pues espero que no sea demasiada vidilla —replicó la señora Adolf—. No me sienta bien la comida picante. Y estoy segura de que a nuestros invitados tampoco. A ver si se van a poner malos…

Esa idea sí que daba miedo. ¿Y si había echado demasiada cayena a las enchiladas? ¿Y si estaban demasiado picantes? ¿Y si Yoshi se ponía malo? ¿Saldría corriendo del aula, pidiendo agua a gritos? O peor aún, ¿y si se ponía malo el señor Morimoto? «¡Ya basta, Sam!», me dije. Mis propios pensamientos me estaban poniendo malo.

Miré las enchiladas. ¿Cuánta vidilla tendrían exactamente? Solo había una forma de averiguarlo: debía probarlas.

CAPÍTULO 18

Cuando sonó el timbre y todo el mundo entró, la señora Adolf me dijo que llevara las enchiladas al salón de actos, lo cual me dio una idea. Las dejaría sobre una mesa y, cuando nadie me viera, probaría un poco. Si estaban demasiado picantes, las tiraría sin pensármelo dos veces. Al menos de ese modo me aseguraría de no provocarle dolor de tripa a toda la escuela.

Frankie me sujetó la puerta principal para que pasara, pero entonces la señora Adolf le llamó. A él y a Ashley.

—Frankie, Ashley, venid a clase —les ordenó desde la mitad de la escalera, donde ya estaban ella y sus zapatos grises—. Con uno que lleve los tacos basta.

—Son enchiladas —la corregí.

—Da lo mismo.

Estaba claro que mi profe no era una fanática de la comida mexicana. Seguramente porque no es de color gris.

—¿Estás seguro de que puedes llevarlas sin que se te caiga la fuente? —me preguntó Frankie.

Yo me estaba preguntando lo mismo.

—Andando —insistió la señora Adolf, señalando los escalones que llevaban a nuestra aula.

—Deja nuestro plato donde todo el mundo lo vea —me susurró Ashley mientras subía por la escalera—. Tiene una pinta deliciosa.

—Mola que te pasas —asintió Yoshi.

Y entonces se fueron, dejándome a solas con una pesada fuente de enchiladas de queso de rechupete.

Esperaba no tener que tirarlas, la verdad, porque mis mejores amigos contaban con encontrarse nuestro plato en un sitio bien visible. ¿Cómo iba a explicarles que había tenido que tirarlas?

«Lo siento, amigos, es porque cierta persona no sabe leer ni una receta. ¿Adivináis quién? En efecto, soy yo».

Me explico: no es que mis amigos no fueran a entenderlo. Frankie y Ashley saben lo de mis problemas de aprendizaje y son muy comprensivos. Ashley siempre me ayuda a comprobar el cambio cuando nos paramos en la pizzería de Harvey a comprar pizza. Y Frankie me ayuda de mil maneras: monta mis juguetillos nuevos cuando no sé descifrar los manuales de instrucciones; me configuró el correo electrónico cuando me compraron otro ordenador; y de camino al colegio repasa conmigo las palabras que tenemos que aprender a deletrear para clase.

Sin embargo, hay una parte que ni siquiera Frankie y Ashley entenderían. Por qué no dije simplemente: «Parad la cámara, que no puedo leer la receta». Para ellos no habría sido un problema, pero para mí, sí.

Estoy seguro de que ni siquiera mis mejores amigos entienden de verdad lo que se siente estando en mi lugar. Odio sentirme menos listo que el resto de la gente. Odio sentirme avergonzado constantemente. Y odio no poder contar con mi cerebro cuando lo necesito. Sé que la doctora Berger dice que no hay nada de qué avergonzarse, que cada uno aprende de forma diferente y a su propio ritmo, pero eso es fácil de decir para ella, y muy difícil de creer para mí. No es la doctora Berger la que tiene que decir: «Parad la cámara, que no puedo leer la receta».

Cuando llegué al salón de actos ya no podía con la fuente de enchiladas de tanto como me dolían los brazos. La primera persona a la que encontré allí fue al señor Rock. Estaba encima de una escalera de tijera, colgando la pancarta de bienvenida que habíamos hecho para Yoshi. Me fijé en los cristalitos de estrás que había pegado Ashley. Centelleaban frente a mí como cerezos en flor.

—Hola, Sam. Menudo peso llevas ahí —me saludó el señor Rock.

—No sabía que las enchiladas pesaran tanto —contesté yo.

—Espera, deja que te eche una mano —dijo él, bajándose de la escalera. Y, antes de que pudiera protestar, ya me había cogido la fuente de las manos—. ¿Las has hecho tú?

—Unos amigos y yo.

—Muy bien, pues ya que esto está hecho por y para los niños, creo que deberíamos ponerlo justo en el centro —replicó, plantando la fuente en mitad de la mesa.

Yo había albergado la esperanza de desplazar las enchiladas a alguna mesa auxiliar para poder probarlas sin que nadie se diera cuenta, así que el hecho de que estuvieran en la mesa principal suponía un pequeño contratiempo, pero podría manejarlo. El señor Rock volvería a su tarea en cualquier momento, y entonces me iría a hurtadillas hacia allí y llevaría a cabo mi degustación de prueba.

«Ñic, ñic, ñic», se oyó entonces. «Oh, no. Solo hay una persona en este colegio que tenga unos zapatos que rechinen así. Y esa persona podría hundir mis planes», pensé.

—Vaya, vaya, vaya, pero ¡si es el señor Zipper, nada menos! —dijo una voz de hombre alto con pelo negro y abundante.

Me di la vuelta y allí estaban los tres: el señor Love, su bufanda azul y amarilla y su lunar. Todos ellos parecían muy contentos de verme, aunque yo no estaba nada contento de verlos a ellos.

—El señor Morimoto me ha informado de que su hijo pasó una velada magnífica ayer —dijo—. Buen trabajo, jovencito.

—Gracias, señor Love.

«¿Podría irse ya? ¡Por favor!».

—Recuerde esto, señor Zipper, porque no voy a decirlo dos veces: tendemos puentes entre las personas para que los barcos puedan pasar por debajo. —Conté hasta diez, esperando la repetición—. Sí, señor. —Y a continuación, ni un segundo antes ni un segundo después, repitió—: Tendemos puentes entre las personas para que los barcos puedan pasar por debajo. ¿Me ha comprendido, señor Zipper?

—Sí, señor director. Palabra por palabra.

Era cierto que le había comprendido palabra por palabra, pero no había entendido lo que esas palabras querían decir cuando él las juntaba de aquella manera.

—Y, si no es indiscreción, ¿por qué está aquí y no en clase? —me preguntó el señor Love.

—Hemos preparado un plato para el banquete —contesté—. Y he venido a dejarlo aquí.

—Sam ha aportado esas enchiladas, que tienen una pinta deliciosa —añadió el señor Rock.

—Ah, enchiladas. Una exquisitez procedente del sur de nuestra frontera. Una enchilada nunca puede estar mala. No, señor, una enchilada nunca puede estar mala. —Deseé con toda mi alma que así fuera. Lo que más temía era haber llevado al cole un montón de enchiladas malas—. Pues viendo que ya ha cumplido con su misión, le acompañaré de vuelta a su clase, señor Zipper. Yo también me dirigía hacia allí, para comprobar qué tal le va al joven Morimoto.

—Ah, gra-gracias, señor Love, pe-pero tengo más cosas que hacer aquí —farfullé.

—Aquí no tiene nada más que hacer —replicó el director—. Ni siquiera han llegado los demás platos.

—Pero me gustaría quedarme.

—Y a mí me gustaría cruzar el Tíbet a lomos de un yak —contestó el señor Love—, pero no siempre podemos hacer lo que nos gustaría.

Pero yo TENÍA que quedarme. Todavía no había podido probar las enchiladas. No había cumplido mi misión. El director se dirigió a la puerta, se paró allí y esperó a que le siguiera.

—Tengo que quedarme, señor Love.

—No tiene que quedarse. Venga conmigo ahora mismo.

«Piensa en algo, Sammy. Deja que tu labia te saque de esta», me dije.

—Quiero ir a clase con usted, por supuesto —empecé—, pero tengo que quedarme por mi amiga Ashley, que se ha esforzado mucho por pegar todos esos cristalillos en esa pancarta.

—¿Y eso qué tiene que ver con usted? —me preguntó él en tono seco.

Aquello no iba por buen camino. Habría que forzar un poco más la máquina.

—La verdad es que... —susurré— me ha pedido que monte guardia porque, en fin, no quiero alarmarle, pero la pancarta se ha ido quedando sin cristalillos a marchas forzadas. Sospechamos de dos o tres de párvulos. ¿Se ha fijado en que últimamente llevan estrás por todas partes?

Mi labia había tenido momentos mejores, pero en aquel instante fue lo único que se me ocurrió.

—Qué absurdidad —dijo el señor Love, frotándose la cara con una mano. Al hacerlo, pasó el dedo sobre la Estatua de la Libertad, más concretamente entre el trasero y la axila—. No sé lo que se propone hacer, jovencito, pero no voy a permitir que lo haga. Venga conmigo. Voy a llevarle a su clase.

Eché una última mirada al señor Rock. Ni siquiera él podía ayudarme.

CAPÍTULO 19

El señor Love me dejó en clase y se llevó a Yoshi, que iba a pasar la mañana en quinto y luego haría una emocionante visita guiada a la biblioteca. No volvería con nosotros hasta la hora del banquete.

Yo me quedé atrapado en nuestra aula toda la mañana. Pedí permiso a la señora Adolf para ir al salón de actos tres veces, y tres veces me lo negó. Dijo que tenía que quedarme quictecito en mi sitio y escribir la redacción que nos había mandado. El tema era el Día de las Culturas, y esto es lo que decía la mía:

Día de las Culturas

Sam Zipper

Espero que no sea un desastre por mi culpa.

Fin

CAPÍTULO 20

Como nuestra clase era la que organizaba el banquete, teníamos que ir al salón de actos unos minutos antes de la hora de comer para asegurarnos de que todo estuviera a punto. Mientras desfilábamos por el pasillo, empecé a ponerme muy nervioso. Sabía que era demasiado tarde para tirar las enchiladas a hurtadillas. Ese barco ya había zarpado, como diría Papá Pete. Ya no había nada que pudiera hacer, más que esperar que no picaran como un demonio.

Cuando entramos en el salón de actos, me quedé completamente apabullado. ¡Ahí va! ¡Qué diferente se veía de como estaba por la mañana!

Había un bufé repleto de comida que iba de pared a pared, y al lado de cada plato, un cartelito que explicaba de dónde era. Empanada de riñones de Inglaterra. Calamares en su tinta de España (me pregunté si ese plato se comería con una pluma estilográfica). Un pan indio lleno de burbujas llamado *naan*. Aceitunas de Grecia. Sopa de nido de golondrina de China (sin la golondrina, claro). Y las enchiladas de rechupete con mucho queso, nuestro plato de México. Al lado había unos hojaldritos de salchicha de Kansas. Creo que todos sabemos quién era el botarate que los había llevado. Nick McChinche, por supuesto. El muy zoquete todavía pensaba que Kansas no está en Estados Unidos, sino en algún recóndito país suramericano.

El salón de actos era algo digno de ver. No era un banquete multicultural. Era un banquete multi-multi-multicultural. Había platos de países que ni siquiera sabía que existían, como Tonga o Burundi, y todo era muy colorido. Por todas partes se veían salsas rojas, verdes y marrón chocolate que parecían estar llamándote y diciéndote: «Venga, pruébame. ¡Te vas a chupar los dedos!».

—¡Mirad, caracoles! —gritó Luke el Mocoverde dos segundos después de entrar.

Los detectó al instante, como un misil que detecta el calor. Estaban en la zona de Francia, al lado de las crepes rellenas de mermelada de albaricoque. Un plato lleno de caracoles en sus caparazones, con mantequilla, ajo y perejil por encima. ¿Os podéis creer que el Mocoverde cogió uno y se lo metió en la boca inmediatamente, caparazón incluido? Crujió tanto al masticarlo que todos los presentes en la sala dejamos de hablar.

—Está delicioso —dijo Luke, escupiéndose los trocitos de caparazón en la mano—. Pero deberían tener más parte babosa.

—Puaaaaj —chillaron Katie y Kim, y se fueron corriendo hacia la zona de las tartas y los bollos, donde no hubiera ni rastro de partes babosas.

Nuestras enchiladas seguían en el centro de la mesa principal. Vi que salía vapor de la fuente y que el queso estaba derretido y apetitoso. Uno de los padres que habían ido debía de haberlas calentado mientras estábamos en clase.

La señora Adolf nos dijo que fuéramos recorriendo la sala para dejar todos los platos bien colocados en la mesa, y ella se puso a hacer lo mismo. O más bien eso es lo que fingía estar haciendo, porque en realidad estaba probando de aquí y de allá. A mí no me engañaba. La vi meterse una aceituna griega en la boca y zamparse una gamba agridulce.

—Mirad, por allí viene Yoshimán —dijo entonces Frankie, señalando la puerta de la sala.

Yoshi estaba entrando en el salón de actos, con el señor Love a un lado y su padre al otro. Parecía estar durmiéndose de pie. Estaba claro que la visita a la biblioteca no había sido muy emocionante que digamos. Muchos libros, y muy difíciles de leer. Cuando nos vio, se le iluminó la cara.

—¡Dabuten! —exclamó desde la otra punta de la sala.

—¿Por qué no le decís que cambie el disco? Ese está muy rayado —protestó Nick, pero si alguien era especialista en discos rayados, ese era McChinche. Era el amo, el rey, el emperador de los discos rayados.

Frankie, Ashley y yo hicimos caso omiso de Nick y nos fuimos a saludar a nuestro invitado japonés.

—Eh, Yoshi, tienes que ver nuestras enchiladas —le dijo Ashley—. Están allí, en la mesa central.

—¡Ah, enchiladas! —terció el señor Morimoto—. A Yoshi y a mí nos encantan. Tengo que probar una.

En aquel momento me habría gustado saber decir «Yo en su lugar me lo pensaría dos veces» en japonés, pero como no era así, me limité a sonreír, diciéndole:

—*Ikiru, Morimoto-san.*

—¡Ah, hablas japonés! —comentó el padre de Yoshi con una sonrisa. Y, dirigiéndose al director, añadió—: Es un muchacho muy listo.

—Lo es, lo es —asintió el señor Love, dándome una palmadita amistosa en la espalda. Yo estaba tan poco preparado para aquella muestra de afecto repentina que casi me caí encima del *sukiyaki* de ternera de Ryan.

En ese momento, de pronto, oímos un griterío procedente del centro de la sala, cerca de la mesa donde estaban nuestras enchiladas. Varios de los padres se habían apiñado formando un círculo alrededor de alguien.

—Atrás, dejen que le dé el aire —decía uno de ellos.

Cuando los padres se apartaron, vimos a quién estaban rodeando.

¡A la señora Adolf!

Tenía bastante mal aspecto. No es que suela tener buen aspecto, pero en aquel momento era especialmente malo. Tenía la cara de un rojo intenso, y nunca se la había visto de ese color. Y entonces, sin previo aviso, la señora Adolf emitió un sonido que no se parecía a nada que hubiera oído antes en boca de un ser humano. Era una mezcla de tos, resuello y bufido.

—¡Agua! —jadeó—. ¡Traigan agua!

Su voz era como la de Gollum en *El señor de los anillos*. Chillaba como una posesa, y su cara parecía un tomate a punto de reventar. De repente se puso a dar saltos por toda la sala, como un canguro con las patas ardiendo.

—Está hecha una campeona —susurró Frankie entre dientes, viéndola pegar botes sin parar.

Ashley soltó una risotada. Yo no quería reírme, así que me concentré mucho en sonreír y nada más. A veces, eso ayuda a retener la risa dentro.

—¿Qué le pasa a esa pobre mujer? —quiso saber el señor Morimoto.

—Será algo que ha comido —contestó el señor Love. Y entonces se volvió hacia mí y me miró fijamente a los ojos—. Espero que no hayan sido sus enchiladas.

Ese comentario borró automáticamente la sonrisa de mi cara.

—No, señor director. Como usted siempre dice, una enchilada nunca puede estar mala.

«Ayayay, ojalá eso fuera verdad», pensé.

A continuación, la señora Adolf agarró un cubito de hielo del barreño del ponche y se lo restregó por toda la lengua. Después se frotó con él toda la cara, cejas incluidas. Luego volvió a la lengua. La cara. La lengua. La cara. La lengua. Parecía que no podía pasarse el cubito por todas partes lo bastante rápido. Finalmente empezaron a caerle gotas de la cara.

Ashley tenía lágrimas en las comisuras de los ojos. Siempre le pasa eso cuando se muere de risa pero tiene que aguantársela.

Mientras observaba cómo la señora Adolf hacía la danza de la lluvia por toda la sala, empecé a pensar en un dato curioso, y es que estaba delante de nuestra fuente de enchiladas cuando la lengua había empezado a arderle. Y no era el único que estaba pensando en eso. Frankie me lanzó una mirada de sospecha.

—¿Cuánto picante les echaste a las enchiladas? —me susurró.

—Ya os lo dije. La cantidad justa.

Para entonces, la lengua de la señora Adolf le colgaba fuera de la boca. Me recordaba a *Rosco* después de haberse echado una buena carrera por el parque. Seguía saltando por toda la sala, abani-cándose la lengua con las manos.

—¿Qué le ocurre, señora? —le preguntó la ma-dre de Ryan.

—Iiiiicaa —resolló la señora Adolf.

—¿Qué? —replicó la madre de Ryan—. Lo siento, no la he entendido.

Por si nunca os habéis fijado, es muy difícil entender a una persona que habla con la lengua fuera de la boca.

—¡Piiica! —chilló mi profesora, que había vuelto a meter la lengua en la boca el tiempo jus-to para emitir esa palabra. Después, ayudándose de dos dedos, cogió la punta y volvió a sacar la lengua al aire para abanicársela con su bufanda de seda gris.

—Me parece que ha comido algo demasiado picante —le comentó la madre de Ryan al grupo de personas que se había agolpado allí.

Frankie me miró y alzó una ceja, pero antes de que pudiera decirme nada, la señora Adolf em-pezó a emitir un sonido que era como un pitido, aunque, en lugar de sacar aire fuera, lo metía den-tro. A ese ruido siguieron unos ronquidos muy fuertes, parecidos a los que hace mi padre cuando duerme. Un grupo de niños se puso a reír. No era una reacción muy bonita que digamos, pero os juro que, si vosotros hubieseis estado allí, también os habríais reído.

Luego la cara de la señora Adolf adoptó una expresión rarísima y entonces se quedó muy quieta. ¿Qué iba a pasar entonces? De pronto, empezó a pasearse por la sala de un lado al otro, meneando el trasero como si bailara el *twist*.

No sé cómo contaros lo que sucedió después sin utilizar la palabra que empieza por «pe» y termina por «do», así que intentaré decirlo de otra forma. La señora Adolf salió propulsada por el salón de actos como si tuviera un cohete en la falda, y ese movimiento iba acompañado de cierto sonido. Una vez más, solo puedo describirlo con la palabra que empieza por «pe» y termina por «do».

—Puaaaj —exclamaron Katie y Kim—. ¡Qué asco!

—¡Cuidado, que va a soltar otro! —gritó Luke el Mocoverde mientras la profesora salía disparada en la dirección contraria.

La señora Adolf tenía una mano en la barriga y la otra tapándose la boca. Mientras pasaba volando a mi lado, le oí decir:

—Perdón, perdón. Lo siento de veras.

—La acompañaré al servicio —le dijo la madre de Ryan, y la señora Adolf asintió sin decir nada más. Mientras se la llevaban al baño, la oímos soltar sonidos atronadores.

Entonces Frankie me dirigió esa mirada suya y susurró:

—Zip, ahora necesito saberlo de verdad. Tienes que ser sincero con lo de la cayena.

—Bueno, resulta que había una fracción en la receta, o al menos creo que era una fracción, y no sabía exactamente si...

—Dímelo, Zip.

—Eso intento. En fin, que no pude leer la receta —contesté con sinceridad—, así que tuve que hacerlo a ojo, pero no parecía mucha cantidad. La justa para darles a las enchiladas un poco de vidilla.

—¡Un poco de vidilla! —exclamó Frankie—. ¿Tú has visto a la Adolf, colega? A mí me ha dado la impresión de que tenía suficiente vidilla dentro como para llegar hasta Japón. Y no necesariamente corriendo.

—¿Y ahora qué hacemos? —repliqué. Toda aquella situación estaba empezando a ponerme muy nervioso.

—Buena pregunta —respondió Frankie—. Ojalá supiera la respuesta.

CAPÍTULO 21

Todos nos quedamos allí para ver si la señora Adolf acababa explotando en el servicio.

—Atención —dijo la madre de Ryan cuando al fin entró en el salón de actos—. Me complace anunciar que la señora Adolf se encuentra mucho mejor. Tiene un estómago delicado y ha sufrido una pequeña reacción a algo que ha comido.

—Si eso es una pequeña reacción, no me gustaría saber cómo huele una grande —comentó McChinche con la boca llena de tarta de Alemania, y cuando se rio escupió grandes virutas de chocolate que le cayeron a todo el mundo, incluido su padre (que había cometido el error de estar demasiado cerca de él).

—Me ha dicho que no se preocupen y que disfruten del banquete —siguió la madre de Ryan—. Volverá dentro de un rato. Ahora está reponiéndose en el..., ejem..., en fin, que está reponiéndose.

Los adultos dejaron escapar un suspiro de alivio y volvieron al bufé, y un grupo de chavales rieron disimuladamente. Al fin y al cabo, no puedes dejar de encontrar divertido oír que tu profesora está aliviándose en el baño, ¿verdad?

—Bueno, ¿por dónde íbamos? —preguntó nuestro director, volviéndose hacia el señor Morimoto.

—Iba a probar una de estas apetitosas enchiladas. Venga, Yoshi, cojamos una antes de que se acaben —contestó él, y antes de que yo pudiera decir palabra, el señor Morimoto se dirigió hacia la mesa central. Yoshi y Ashley fueron tras él.

—¡No puedo permitir que las pruebe! —le dije a Frankie.

—Pues ya sabes lo que hay que hacer.

—¿Y qué voy a decirle?

—Ya se te ocurrirá algo, Zipilipi. Tienes diez segundos como máximo.

Entonces eché a correr detrás del señor Morimoto, que había cogido un plato de papel y estaba dándole otro a Yoshi. Ya estaban delante de la fuente de enchiladas.

—Disculpe, señor, ¿no prefiere probar los calamares en su tinta? —le sugerí—. ¿O mejor unos caracoles regordetes y tiernos remojados en su mantecosa salsa de caracol?

—Tal vez luego, Sam —me contestó él—. Estoy deseando probar una deliciosa enchilada picante. En Tokio no es fácil encontrar buena comida mexicana.

Vale, hay comida picante y comida muy picante. Y luego está la comida tan picante que tienen que llevarte al hospital porque te arde todo lo que va desde la lengua hasta el estómago. Nuestras enchiladas estaban en esa última categoría.

«¿Y si le sientan tan mal al señor Morimoto que tienen que llevarle al hospital? No, Sam, eso hay que evitarlo a toda costa. ¡Sé un hombre!», me dije.

No me quedaba otra opción. Debía impedir que el padre de Yoshi probara esa enchilada, punto. Y eso suponía decirle la verdad: que había echado demasiada cayena porque había sido incapaz de leer la dichosa receta.

«¿Por qué mis problemas de aprendizaje no desaparecerán por arte de magia, como los pañuelos que Frankie hace desaparecer en su manga?», pensé, y de pronto vi a Frankie a mi lado, apoyándome como me apoya siempre en los momentos más difíciles. Me cogió del brazo y tiró de mí hacia un lado para que pudiéramos hablar en privado.

—Vamos a decirle la verdad al señor Morimoto, Zip.

«Pero ¡no quiero! ¡La verdad es horrible!», exclamé para mis adentros.

—Es un tío legal. Lo comprenderá.

«No es por eso. No quiero quedar como un idiota delante de todo el mundo... otra vez», seguí pensando.

—Tienes que decírselo ahora, colega. ¿Lo ves?, ya está sirviéndose la enchilada en el plato.

«Puedo inventarme otra razón para que el señor Morimoto no se coma esa enchilada. ¡Sé que puedo!».

—Vamos, Zip. ¡Ahora!

«¡Piensa, Sam, piensa!».

CAPÍTULO 22

DIEZ RAZONES PARA QUE EL SEÑOR MORIMU-TO NO SE COMA ESA ENCHILADA

SAM ZIPPER

1. En Estados Unidos se considera de mal gusto comer comida roja y amarilla los jueves.

2. Ciertos estudios demuestran que la cayena en polvo provoca calvicie.

3. Hoy es el Día Internacional Contra los Platos que Empiecen por E.

4. Una cuadrilla de alienígenas en miniatura ha elegido esa enchilada como su hogar terrestre. Lo sé porque he visto su nave aterrizar sobre el queso.

5. Luke el Mocoverde ha lamido las enchiladas tras comer caracoles babosos.

6. Hay muchas personas alérgicas a las enchiladas. Si las comen, el labio se les separa de la boca, se cae al suelo y se va botando en dirección a México.

7. ¡Socorro, se me acaba el tiempo! ¡El señor Morimoto está a punto de dar el primer mordisco! ¡Señor Morimoto, pare! ¡Pare!

CAPÍTULO 23

—¡Pare! —grité en voz alta, pero la bomba picante ya estaba en camino. El señor Morimoto tenía la boca abierta, y el tenedor con la enchilada se dirigía directamente hacia ella—. ¡Espere! —chillé justo antes de que el tenedor tocara sus labios—. ¡No se coma la enchilada!

Todos los que estaban en el salón de actos se quedaron callados y me miraron.

—¿Qué has hecho esta vez, Zipitajo? —saltó McChinche—. ¿Has puesto colas de rata en esas enchiladas?

—Creo que les he echado demasiado picante —dije, odiando tener que reconocerlo aunque supiera que debía hacerlo—. Es culpa mía que la señora Adolf se haya puesto mala hace un momento.

—¿Y por qué es culpa tuya, rey? —me preguntó la madre de Ryan.

—No sabía cuánta cayena debían llevar, así que les eché un pellizco. Y luego otro. Y luego otro.

—No parece tan grave —respondió la madre de Ryan.

—Y no lo era, pero luego les añadí una cucharada o dos más. Y luego otro pellizco. O tres. O cuatro. O cinco.

—¿Y por qué no siguió la receta, muchacho? —quiso saber el señor Love.

Ya salió la gran pregunta. Me quedé mirando el lunar de la Estatua de la Libertad sin antorcha. ¿Estaba riéndose de mí? Eso parecía.

La sala se quedó más silenciosa que antes. Todos estaban esperando mi respuesta, y solo había una: no seguí la receta porque no fui capaz de leerla y porque no pude descifrar lo que significaba aquella dichosa fracción. Pero la otra gran verdad era que no me apetecía hablar de mis problemas de aprendizaje en aquel momento, ante tanto público. No creo que a nadie le guste ponerse a charlar de los problemas de su cerebro en un salón lleno de gente. Sin embargo, todo el mundo estaba esperando mi explicación, de modo que no tenía alternativa. Abrí la boca para contestar, pero no salió ningún sonido.

—Respira, Zip —me susurró Frankie—. El oxígeno es poder.

Hice una profunda inspiración y entonces empecé a hablar.

—La verdad es que me estaba costando leer la receta —dije. Bueno, al menos ya había comenzado.

Todos los presentes intercambiaron miradas mientras esperaban a que siguiera. Aquella era la parte que más temía: el problema de la fracción, el agobio, las palabras y los números flotando en la página. Socorro, socorro y más socorro.

Hice otra profunda inspiración y, justo cuando iba a hablar, el señor Rock salió de un rincón de la sala y se acercó rápidamente a mí. Me pasó un brazo por los hombros y dijo:

—A mí también me cuesta leer las recetas. Siempre hay manchas de salsa de tomate, de mantequilla o de caldo, y luego nunca sabes qué pone. En la cocina se mancha todo, ¿verdad, Sam?

Los adultos de la sala asintieron y la madre de Ryan se puso a contar que una vez se le olvidó ponerle la tapa a la licuadora y su libro de cocina se puso perdido de crema de patatas y puerros. Y, de pronto, ya nadie estaba pendiente de mí. «¡Señor Rock, es usted un genio!», pensé.

—Gracias —le susurré—. Se me hacía muy cuesta arriba contarles toda la historia.

—Tus problemas de aprendizaje son cosa tuya, no de los demás. No tienes por qué contárselo a todo el mundo —replicó él en un murmullo, y en ese momento ¡adivinad quién volvió al salón de actos, caminando como si tal cosa!

¡Sí, la señora Adolf! Todo el mundo aplaudió al verla entrar y ella sonrió e hizo una pequeña reverencia, como si tener un ataque de gases en público mereciera semejante recibimiento. Ya no tenía la cara roja y había recuperado su tono gris habitual.

Yo era consciente de que le debía una disculpa: al fin y al cabo, no soy un desalmado.

—Perdóneme por lo de las enchiladas, señora Adolf.

—¿Y qué hay que perdonar, Samuel?

—Pues que le hayan quemado la boca y se haya puesto mala —contesté, procurando no mencionar la parte gaseosa de su ataque, pues pensé que eso podría avergonzarla.

—No me he puesto mala por vuestras enchiladas —dijo ella—. Ni siquiera las he probado, aunque tenían un aspecto sorprendentemente apetitoso.

—Ah, ¿no?

—No, Samuel. Ya te he dicho antes que la cocina mexicana no me sienta bien. Me provoca flatulencia.

—¿Qué es lo que ha dicho? —le susurró McChinche a Luke.

—Que la comida mexicana le da pedos —le contestó el Mocoverde.

—Tomo nota —contestó McChinche, asintiendo.

—Pero si no ha probado nuestras enchiladas, ¿qué es lo que le ha sentado tan mal? —le pregunté a la señora Adolf.

—Han sido los hojaldritos de salchicha —respondió ella.

«¡El plato de McChinche! ¡Qué fuerte! ¡Esto es lo mejor que he oído en mi vida! Ese pedazo de alcornoque va a tener que cargar con las culpas del ataque de gases de la señora Adolf. ¡Toma ya! Qué bonita es la vida».

—Un momento —protestó Nick—, mis hojaldritos de salchicha no tienen nada malo. Los he hecho yo mismo.

—Pues me ha dado ese pequeño ataque justo después de comerme uno.

—Tal vez no haya sido tan pequeño —murmuró el Mocoverde.

—¿Qué llevan los hojaldritos, Nicholas? —le preguntó la señora Adolf.

—Solo son salchichitas de Frankfurt envueltas en hojaldre con una cucharada de salsa de tabasco —contestó Nick.

—¡Tabasco! —exclamó la profe, como si pronunciar esa palabra hiciera que le ardiera la boca otra vez—. El tabasco es lo peor para mi salud.

—Se equivoca —dijo McChinche—. Lo que es malo para la salud es el tabaco.

—Nicholas, la salsa de tabasco se llama así porque está hecha con un tipo de guindilla muy picante del estado mexicano de Tabasco —le explicó la señora Adolf.

—Bueno, en realidad, aunque Tabasco está en México, la salsa de tabasco es un producto creado en Estados Unidos en mil ochocientos sesenta y ocho —dijo entonces una voz nasal. Era Robert, la enciclopedia con patas, que se había unido a la fiesta para llenarnos la cabeza de datos—. Además de chile tabasco, la salsa lleva vinagre, sal y otros condimentos —continuó, por si no nos habíamos dormido ya de aburrimiento—. Y antes de venderla la maceran tres años en barricas de roble.

Y yo me pregunto: ¿cómo puede interesarse por esas cosas un niño de nueve años? Y lo que es más misterioso aún: ¿por qué se toma la molestia de aprendérselo?

—En Japón tenemos otro tipo de picante que se llama *wasabi*. Lo ponemos en el *sushi* —comentó el señor Morimoto.

—El *wasabi* es chachi que te pasas —terció Yoshi—. Es muy picante, y te despeja la nariz.

—Eso ya lo sabemos, ¿verdad, Sam? —apuntó Emily la lagartoide, que había seguido a Robert al salón de actos—. Una vez Sam fue atacado por un pequeño montoncito de *wasabi* en un restaurante japonés. Fue una pelea muy dura, pero Sam aguantó como un valiente.

En ese momento Emily se portó bastante bien. Podría haberle dicho a todo el mundo que casi se me despegó la nariz de la cara para ir a buscar un estanque donde vivir, y eso se habría acercado más a lo que pasó de verdad.

Nick McChinche no soporta que alguien reciba un cumplido de cualquier tipo; siempre tiene que acaparar él toda la atención, así que replicó, poniéndose muy derecho para que todos viéramos su estatura de paquidermo:

—Eso no es nada. Yo una vez me comí el pimiento más picante del mundo. Dicen que puedes morir solo con lamerlo, pero me zampé diez como si tal cosa.

—Ya, qué risa, y yo soy poetisa —dijo Yoshi.

—¡Así se habla, Yoshimán! —exclamó Frankie, chocándole la mano.

—¿A qué viene eso de la poetisa? —preguntó el señor Love—. Ninguno de vosotros lo es.

Por si no lo habéis notado ya, el sentido del humor no es el punto fuerte del director. No me extrañaría que él y la señora Adolf fueran parientes.

—A muchos japoneses nos gusta la comida picante —comentó el señor Morimoto—. Para mí, cuanto más picante sea, mejor.

Miré a Frankie y a Ashley y ellos me devolvieron la mirada.

—Entonces, si tanto le gusta la comida especiada —le dijo Frankie al padre de Yoshi—, tenemos algo para usted.

—Híncquele el diente a esa enchilada —le pedí—. La hemos hecho exactamente a su gusto.

El señor Morimoto dio un mordisco a la enchilada y durante un momento no pasó nada. Sin embargo, después sus ojos se pusieron a lagrimear y su nariz empezó a gotear. A continuación cogió un pañuelo de un bolsillo y se sonó.

—Sam, ¿me puedes dar un vaso de agua? —dijo con voz ahogada. ¡Oh, no, acababa de freírle las papilas gustativas al director de una escuela hermanada de Japón! El padre de Yoshi pegó un sorbo y entonces añadió—: Esta enchilada tiene una gran cantidad de..., no sé cómo se dice en vuestro idioma.

Acto seguido, se volvió hacia su hijo y le susurró algo en japonés. Yoshi asintió y aclaró:

—Mi padre dice que esta enchilada tiene una gran cantidad de vidilla.

—¿Y eso es bueno o malo? —quiso saber el señor Love.

—Eso es muy bueno —respondió Yoshi—. La vidilla mola que te cagas.

En ese momento pensé que el señor Love iba a caerse de morros y aplastar el lunar de la Estatua de la Libertad. Si alguno de nosotros hubiese dicho «mola que te cagas» delante de él, nos habría castigado después de las clases durante una semana seguida. Sin embargo, dejó que Yoshi se fuera de rositas. ¿Qué podía hacer si no? No puedes castigar a un invitado de un país lejano. Eso habría sido muy feo desde el punto de vista multicultural.

El señor Morimoto se comió toda la enchilada. También bebió un montón de agua y se sonó la nariz después de cada mordisco. Y después de aquella se comió otras dos enchiladas. Tuvimos que darle un paquete entero de pañuelos.

—Gracias por esta excelente comida —dijo cuando terminó—. Estaba deliciosa.

—*Ikiru* —replicó Frankie—. Ha sido divertido prepararla.

—Sí, ya lo verá en el vídeo que hemos grabado —terció Ashley.

—Os prometo que Yoshi y yo se lo enseñaremos a todos los niños de nuestro colegio —dijo el señor Morimoto.

—Les encantará la parte de la iguana —comentó Ashley—. Ese lagarto tiene talento.

—¿Has oído eso, Robert? —le preguntó Emily—. *Catalina* se ha convertido en una estrella de cine internacional.

—Estoy deseando que se acaben las clases para decírselo —apuntó el Bonsái, y yo pensé en procurar estar muy ocupado al salir del cole.

CAPÍTULO 24

Aquella noche todo el mundo fue a mi casa para celebrar una fiesta de despedida. A modo de agradecimiento, Yoshi me dio sus deportivas plateadas (sí, las que parecían de otra galaxia). Me quedaban como tres números grandes y eran bastante cantosas, pero a mí me daba igual: seguían siendo las zapatillas más molonas que había visto jamás. Hice el clásico truco de ponerme dos calcetines más, y me sentaban como un guante.

A cambio, le di a Yoshi mi sudadera de los Mets para que se la llevara de recuerdo a Japón, aunque Frankie intentó convencerle de que se llevara su horrorosa sudadera de los Yankees. ¿Os lo podéis creer?

Yoshi le dio a Frankie su CD de rap japonés, y él le enseñó un número mágico, el que consiste en sacar un céntimo de detrás de la oreja de alguien.

—Pero en Japón no tenemos céntimos… —dijo Yoshi.

—Con un yen también funcionará, colega —le tranquilizó Frankie—. Es un truco muy multicultural.

Ashley le regaló a Yoshi un botón que había hecho ella, con estrás turquesa y amarillo, en el que ponía *ikiru*. Él le regaló a ella sus palillos, que tenían un adorno de nácar muy brillante en el extremo. Le dijo a Ashley que podía añadirle estrás rosa si quería.

Mi madre preparó lo que ella entiende por una cena típica de Estados Unidos, a base de hamburguesas y patatas fritas. Lo malo es que ni había nada que llevara carne, ni nada que estuviera frito, ni, ya puestos, nada que fuera apetitoso. Por suerte, habíamos comido tanto en el banquete que no teníamos hambre. Le ofrecimos a *Rosco* las sobras, pero él las olfateó, corrió a la cocina y se refugió en el armario de las ollas. Eso ha debido de aprenderlo de *Catalina*, que, por cierto, estaba en la habitación de mi hermana planeando su carrera de actriz con Emily y Robert. Incluso le preguntaron a Ashley si quería ser la representante de *Catalina*, y ella les dijo que se lo plantearía.

—Puede usar el baño siempre que quiera —le dijo mi madre al señor Morimoto como mil veces durante la cena, y se puso muy contenta cuando al final él usó el baño para lavarse las manos.

Y cuando el señor Morimoto le dijo que las pagodas del papel eran muy bonitas, durante un momento tuve miedo de que ella fuera a darle un beso. Por suerte, se lo dio a mi padre, una sabia decisión por su parte.

Hablando de mi padre, nunca le había visto tan contento desde que quedó segundo en la competición de crucigramas de la ciudad de Jersey. Por supuesto, le enseñó al señor Morimoto su colección de portaminas. Mi padre está bastante acostumbrado a que la gente eche una ojeada rápida a su colección y luego cambie de tema a la velocidad de la luz. La mayoría de las personas tienen un interés bastante limitado por los LPM y el grosor de las minas. No es culpa suya. Simplemente, las cosas son así.

Pero resulta que el señor Morimoto colecciona esos bolígrafos que tienen agua y pequeños objetos dentro, como barcos y palmeras, que van flotando de una punta a otra. Cuando mi padre lo oyó, los dos se convirtieron instantáneamente en amigos para toda la vida. Se pasaron un montón de tiempo charlando sobre bolis y lápices; seguro que batieron el récord.

Pero la mejor parte de la velada fue cuando llegó Papá Pete, porque trajo un cargamento de pepinillos con ajo y eneldo preparados por él, nuestro aperitivo favorito en el mundo entero. Mi abuelo y yo siempre salimos al balcón a picar pepinillos mientras observamos cómo se asoma la luna por el horizonte y se desplaza por el cielo de Nueva York. Os aseguro que es lo mejor de vivir en mi ciudad.

—¿Les apetece picar unos pepinillos con nosotros en el balcón, caballeros? —les preguntó Papá Pete a Yoshi y a su padre cuando mis amigos ya se habían ido cada uno a su casa.

—Será un honor —respondió el señor Morimoto con una reverencia.

—Para mí también, *ojisan* —añadió Yoshi.

Así pues, los cuatro nos instalamos en el balcón. Era una noche de primavera perfecta, un poco fría, lo justo para que se te pusiera la nariz roja. Desde allí te llegaban todos los olores de la ciudad: un poco de pizza, un poco de tráfico y una pizca de cacahuetes tostados.

Papá Pete sacó un pepinillo bien crujiente y se lo sirvió al señor Morimoto en un trozo de papel encerado, como hacen en la tienda.

—Este es para usted —anunció.

—Mi profesora comentó que a usted no le gustarían los pepinillos —le dije al señor Morimoto.

—Qué sabrá ella, si ni siquiera le gusta la comida mexicana… —contestó él.

Al darle el primer mordisco al pepinillo, este se partió y crujió entre sus dientes. Así es como se comprueba que son frescos de verdad.

—Y este es para mi nuevo nieto —dijo Papá Pete, dándole a Yoshi un pepinillo y un pellizco en la mejilla al mismo tiempo.

El pepinillo de Yoshi también crujió entre sus dientes y mi abuelo y yo metimos la mano en la bolsa y cogimos un pepinillo cada uno.

—Son una delicia —afirmó el señor Morimoto—. Ahora sé de dónde ha sacado Sam su habilidad para la cocina.

—Entonces, ¿salieron ricas las enchiladas? —preguntó mi abuelo.

—Deliciosas —respondió el señor Morimoto.

—¿Tenían suficiente vidilla? —dijo Papá Pete.

—¡Más que suficiente! —contesté yo.

Yoshi me sonrió. Ambos sabíamos que íbamos a recordar aquellas enchiladas durante mucho tiempo.

Y entonces los cuatro nos quedamos en silencio, disfrutando de la compañía de los demás mientras picábamos pepinillos y veíamos salir la luna, de color naranja, sobre el horizonte de Nueva York.

CAPÍTULO 25

No me importa confesar que la despedida me resultó muy difícil. Solo hacía dos días que conocía a Yoshi y a su padre, pero cuando llegó la hora de que se marcharan, me pareció que éramos amigos de toda la vida.

Yoshi me prometió que me escribiría y yo le dije que escribir no se me daba muy bien, pero que le mandaría vídeos.

Al día siguiente, en el colegio, el señor Morimoto se dirigió hacia mí justo antes de entrar en el coche que los llevaría hasta el aeropuerto. Me hizo una reverencia y después me tendió la mano y me la estrechó.

—Tengo que darte mi enhorabuena, Sam —me dijo—. Eres un buen anfitrión. Y también un gran cocinero.

—No tanto, señor Morimoto. Tengo que decirle la verdad sobre las enchiladas —le contesté. Ya no podía aguantar más sin contárselo—. No pude seguir bien la receta porque me cuesta mucho leer. Tengo una cosa que se llama dislexia.

No me sentí tan mal al decirle al fin la verdad. De hecho, me sentí bien.

—Un verdadero cocinero se deja guiar por el corazón, no por una receta —replicó entonces—. En realidad, las mejores cosas son las que ocurren cuando te dejas guiar por el corazón, Sam.

Dicho eso, me hizo otra reverencia, se despidió de Frankie, Robert, Emily y Ashley (de todo el cole, la verdad), y él y su hijo se fueron a coger el avión.

Me pasé todo el día pensando en lo que me había dicho el señor Morimoto. Oía sus palabras en mi cabeza. Él creía que yo era un gran cocinero. Guau, qué subidón…

¿Y sabéis qué? Que al final me alegré de no haber seguido la receta. Me había inventado mi propia receta, mi forma personal de hacer las cosas. Y ya veis lo que ocurrió: nos salieron unas enchiladas de rechupete, más bien picantes pero muy sabrosas. Y, lo más importante, únicas y originales.

Al final no va a ser tan malo lo de tener problemas de aprendizaje…

CAPÍTULO 26

ENCHILADAS DE RECHUPETE CON VIDILLA (PERO NO DEMASIADA) DE SAM

Esta es una receta para ocho personas. Ahora siempre se la preparo a Frankie y Ashley. Vosotros podéis invitar a vuestros amigos. Y recordad que los grandes cocineros se dejan guiar por el corazón, así que podéis añadir a la receta vuestro propio toque personal. Pero luego contadme qué tal os ha salido, ¿vale?

Ingredientes:

2 tazas de tomate triturado

1 cucharada de cayena en polvo (para darles vidilla)

1/4 de cucharadita de orégano

1/4 de cucharadita de ajo en polvo

1/4 de cucharadita de comino (¡tened cuidado, porque es muy aromático!)

1/4 de cucharadita de sal

3 tazas de queso cheddar rallado, o bien una mezcla de quesos mexicanos

1/3 de taza de cebolla picada (mejor que la pique un adulto)

16 tortillas mexicanas de maíz pequeñas

Preparación:

Echad en una sartén el tomate triturado, la cayena, el orégano, el ajo en polvo, el comino y la sal. Pedid a un adulto que os ayude a poner el fuego a media potencia. Es importante que os ayude un adulto. Creedme: no tiene nada de divertido quemarse, ni las manos ni los labios. Es todo lo contrario de divertido.

Calentad la salsa hasta que burbujee. Después, bajad el fuego y dejad cocer la salsa a fuego lento, sin tapar, durante 15 minutos. Removed de vez en cuando.

Mientras tanto, en un cuenco, mezclad dos tazas y media de queso con la cebolla picada y untad de mantequilla una fuente para el horno, de unos 20 x 30 cm.

Calentad las tortillas en el microondas y después rellenadlas con la mezcla de queso y cebolla, enrolladlas y colocadlas en la fuente. Seguid rellenando y enrollando hasta llenar toda la fuente. Luego echad por encima la salsa de tomate, de manera que queden bien cubiertas, y el queso que os haya sobrado.

Pedid a un adulto que os ponga el horno a 175 grados. Dejad que se caliente (el horno) unos minutos. Mientras tanto, podéis salir a jugar con una pelota o leeros este libro otra vez.

Meted la fuente en el horno. Dejad las enchiladas horneándose unos 25 minutos, o hasta que el queso se haya fundido y burbujee.

Sentid una oleada de orgullo: habéis preparado un plato riquísimo.

Con cariño, ¡Poneos las botas!

Sam

ÍNDICE

EL ILUSTRADOR

Santy Gutiérrez nació en Vigo, vive en A Coruña y se dedica al dibujo desde 1993. Colabora en periódicos, revistas y muchas editoriales y es fundador del Estudio Baobab y presidente de la Asociación Gallega de Profesionales de la Ilustración. Santy está deseando seguir ilustrando los líos en los que se mete Sam.

LOS AUTORES

Henry Winkler nació en Nueva York, como Sam, y su cara os sonará porque, además de escritor, es actor de cine y televisión. Ha dado charlas por todo el mundo, tiene una estrella en el Paseo de la Fama de Hollywood y ha recibido el título de caballero en Francia. Pero de lo que está más orgulloso es de los libros de Sam Zipper, que en parte están basados en lo que le pasaba a él cuando iba al cole.

Lin Oliver nació en Los Ángeles, California, y es escritora y productora de cine y televisión. Además, es fundadora y directora de la Asociación de Escritores e Ilustradores de Libros para Niños. Le encantan los sándwiches de atún y queso fundido, los niños curiosos y todos los deportes de raqueta. ¿Y qué opina de Sam? Pues que es un crack incomprendido…

¡SIGUE A SAM!

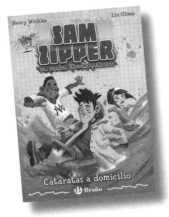

Cataratas a domicilio

En vez de escribir una redacción sobre lo que hizo en verano, Sam decide *hacer* lo que hizo en verano. Así que construye una maqueta de las cataratas del Niágara y se va a clase con ella. Pero entonces comienzan los problemas, claro…

Suspenso en salami

La peor pesadilla de Sam se ha hecho realidad: le han caído varios cates… ¿Cómo librarse del castigo? Pues triturando los suspensos y convirtiéndolos en un salami con el que la madre de Sam piensa triunfar en el mercado…

Una iguana en calzoncillos

Sam desmonta el descodificador de la tele para descubrir todos sus secretos. Pero, una vez desmontado, ¿quién es capaz de volver a montar ese cacharro? Sam no, desde luego. Y además, *Catalina,* la iguana de Emily, se ha puesto unos calzoncillos y se ha instalado en el descodificador…

Los calcetines de la suerte

Llega la Olimpiada escolar y sin pretenderlo Sam se convierte en el arma secreta de su equipo de béisbol. Ashley y Frankie están convencidos de que con Sam ganarán, pero él no lo tiene nada claro porque, en su opinión, su repentina habilidad se debe a los horripilantes calcetines de la suerte que le ha quitado a su hermana. ¿Conseguirá nuestro crack quedarse con los calcetines, aunque se avergüence de ellos, y lanzar la bola que le lleve a la victoria?

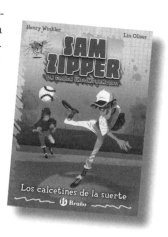

La noche que me cargué la excursión

Sam y su clase van a pasar una noche en un velero que está atracado en el puerto. ¡Además, Sam ha sido elegido ayudante del capitán! Sin embargo, pronto descubrirá que ese puesto no es el chollo que él se había imaginado, y que cargarse una excursión es tan fácil como comerse unos cuantos pepinillos en vinagre.